Ce dont je suis certaine

Oprah Winfrey

CE DONT JE SUIS CERTAINE
Édition originale publiée en anglais par Flatiron Books, New York, NY (É.-U.) sous le titre :
WHAT I KNOW FOR SURE
Text Copyright © 2014 by Hearst Communications, Inc.
Published by arrangement with Flatiron Books. All rights reserved.

© Édition française, 2014 ÉDITIONS DU TRÉSOR CACHÉ
Tous droits réservés. La reproduction d'un extrait quelconque de ce livre, par quelque
procédé que ce soit, est interdite sans l'autorisation écrite de l'éditeur.

ÉDITIONS DU TRÉSOR CACHÉ
2-36, rue de Varennes
Gatineau (Québec) Canada
J8T 0B6
Tél. : 819-561-1024
Courriel : editions@tresorcache.com
Site web : www.tresorcache.com

All the essays included in this book were previously published, in a slightly different form,
in O, The Oprah Magazine.

O, The Oprah Magazine and "What I Know for Sure" are registered trademarks of Harpo
Print, LLC.

Lyrics from "Stand" reprinted with the permission of Donnie McClurkin.
Letter from Mattie J. T. Stepanek reprinted by permission of Mattie J. T. Stepanek, personal
communication (www.MattieOnline.com).
Edna St. Vincent Millay, excerpt from "On Thought in Harness" from Collected Poems.
Copyright © 1934, 1962 by Edna St. Vincent Millay and Norma Millay Ellis.
Reprinted with the permission of The Permissions Company, Inc., on behalf of Holly
Peppe, Literary Executor, The Millay Society, www.millay.org.
"You Ask About Poetry" reprinted with the permission of Mark Nepo.
Excerpt from "Love After Love" from The Poetry of Derek Walcott 1948–2013 by Derek
Walcott, selected by Glyn Maxwell. Copyright © 2014 by Derek Walcott. Reprinted by
permission of Farrar, Straus and Giroux, LLC.

Traduction : Marie-Andrée Gagnon
Infographie : Roseau infographie inc.
Couverture : Mary Schuck

Dépôt légal - 2014
Bibliothèque nationale du Québec
Bibliothèque nationale du Canada
Bibliothèque nationale de France

Gouvernement du Québec – Programme de crédit d'impôt pour l'édition de livres –
Gestion SODEC

ISBN 978-2-924061-34-3 (Édition imprimée)
ISBN 978-2-924061-37-4 (Édition numérique)

Imprimé au Canada

Diffusion / distribution :
Canada : Messageries ADP, Longueuil (Québec), (450) 640-1234
Europe : Interforum editis, Contact France : Messageries ADP, Ivry sur Seine :
          +33 (0)1 49 59 11 56/91

Ce dont je suis certaine

Oprah Winfrey

Éditions du
trésor caché

Introduction

———— ⌐🢒») ————

C ette histoire n'a rien de nouveau, mais je crois qu'elle vaut
la peine d'être racontée une dernière fois. Nous étions en
1998. Je faisais la promotion du film *Beloved* (*La Bien-aimée*) lors
d'une entrevue télévisée en direct que j'accordais au défunt et
exceptionnel critique de cinéma Gene Siskel, du *Chicago Sun-Times*.
Tout se déroulait parfaitement bien, jusqu'au moment de conclure
l'entrevue. «Dites-moi, de quoi êtes-vous certaine?» m'a-t-il alors
demandé.

Je n'en étais plus à faire mes premières armes. J'ai posé et je
me suis fait poser d'innombrables questions au fil des ans, et il est
rare qu'il m'arrive d'être complètement à court de mots. Je dois néanmoins avouer que la question de cet homme m'a laissée interdite.

«Heuuu, au sujet du film?» ai-je balbutié, en essayant de
gagner du temps jusqu'à ce que je trouve une réponse un tant soit
peu cohérente à lui fournir, sachant pertinemment qu'il espérait se
mettre sous la dent quelque chose de plus substantiel, de plus
profond, de plus complexe.

«Non, m'a-t-il répondu. Vous savez ce que je veux dire – au
sujet de vous, de votre vie, de quoi que ce soit, de tout…»

« Heuuu… ce dont je suis certaine… heuuu… Ce dont je suis certaine, c'est que j'ai besoin de plus de temps pour y réfléchir, Gene. »

Eh bien, seize ans et énormément de réflexion plus tard, cette question est devenue la question centrale de ma vie : En fin de compte, de quoi suis-je certaine au juste ?

Je l'ai approfondie dans chacun des numéros de la revue *O*. En fait, « What I know for Sure » (Ce dont je suis certaine) correspond au titre de ma chronique mensuelle. Et croyez-moi, il m'arrive encore souvent de chercher longtemps une réponse. De quoi suis-je certaine ? Je sais que, si un seul éditeur de plus me téléphone ou m'envoie un courriel ou ne serait-ce qu'un signal de fumée pour me demander où est l'article de ce mois-ci, je change de nom et je déménage à Tombouctou !

Cependant, au moment précis où je suis prête à lever le drapeau blanc et à m'écrier : « Ça y est ! Je n'ai plus rien à donner ! Je ne sais rien ! » je vais promener les chiens, faire infuser une théière de chai ou me tremper dans la baignoire. C'est alors que, sortant de nulle part, un éclair de lucidité me ramène à quelque chose que mon esprit, mon cœur et mes tripes me disent être indubitablement vrai.

Reste que je dois bien reconnaitre que j'ai ressenti une certaine appréhension lorsqu'est venu le temps de réécrire l'équivalent de quatorze années de chroniques. Est-ce que ce serait comme regarder de vieilles photos de moi portant une coupe de cheveux et des vêtements qu'il vaudrait réellement mieux laisser dans le dossier des idées semblant bonnes sur le coup ? Que faire si ce dont nous étions certains à l'époque nous amène maintenant à nous demander *à quoi pensais-tu* ?

J'ai pris un stylo à encre rouge, je me suis servi un verre de sauvignon blanc, j'ai pris une profonde respiration et je me suis mise à lire. Or, au fil de ma lecture, ce que je faisais et où je me trouvais dans la vie lorsque j'ai écrit ces chroniques me sont revenus à l'esprit comme un torrent. Je me suis instantanément revue en train de me creuser la cervelle, de faire des examens de conscience, de veiller tard et de me lever tôt, tout cela dans l'espoir de découvrir ce que j'en suis venue à comprendre au sujet de ce qui compte dans la vie : des choses comme la joie, la résilience, l'émerveillement, les relations, la gratitude et les possibilités. J'ai le bonheur de vous dire que ce que j'ai découvert en révisant l'équivalent de quatorze années de chroniques, c'est que lorsque l'on sait une chose, qu'on la sait *vraiment*, elle a tendance à réussir l'épreuve du temps.

Comprenez-moi bien. On vit, et si l'on est ouvert sur le monde, on apprend. Ainsi, même si l'essentiel de ma pensée tient encore la route, j'ai fini par utiliser mon stylo à encre rouge pour épurer, explorer et étoffer quelques vieilles vérités et des réflexions durement muries. Soyez le bienvenu dans mon propre livre des révélations (jeu de mots en anglais avec le livre biblique de l'Apocalypse) !

Tandis que vous lisez au sujet de toutes les leçons que j'ai eu peine à apprendre, qui m'ont fait verser des larmes, que j'ai cherché à éviter, auxquelles je suis retournée, avec lesquelles j'ai fait la paix, dont j'ai ri et que j'en suis enfin venue à savoir avec certitude, j'espère que vous en viendrez vous aussi à vous poser exactement la même question que Gene Siskel m'a posée il y a si longtemps. Je sais que ce que vous découvrirez chemin faisant sera fantastique, car c'est vous-même que vous découvrirez.

—*Oprah Winfrey*
Septembre 2014

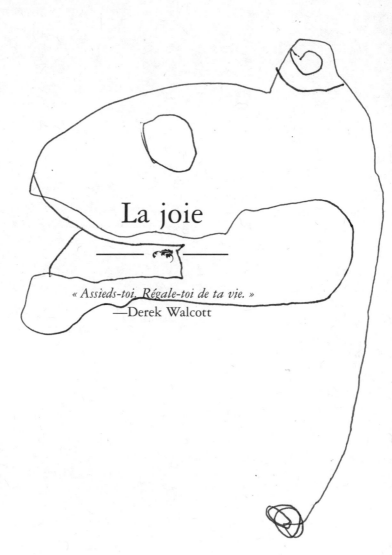

La joie

« *Assieds-toi, Régale-toi de ta vie.* »
—Derek Walcott

La première fois que Tina Turner a paru à mon émission, j'ai eu envie de m'enfuir avec elle, de me changer en choriste et de danser toute la soirée à ses concerts. Eh bien, ce rêve s'est concrétisé un soir à Los Angeles, lorsque l'équipe de *The Oprah Winfrey Show* est partie en tournée avec Tina. Après avoir répété une même chanson toute la journée, j'ai eu la chance de chanter avec elle.

Or, ce fut l'expérience la plus stressante, la plus éprouvante et la plus exaltante de toutes. Pendant cinq minutes et vingt-sept secondes, j'ai eu l'occasion de ressentir ce que l'on ressent en chantant du rock en scène. Je ne me suis jamais sentie plus hors de mon élément, hors de mon corps. Je me souviens d'avoir compté mes pas, d'avoir essayé de garder le rythme, d'avoir attendu l'euphorie et de m'être sentie terriblement embarrassée.

Puis, soudain, une pensée m'est venue à l'esprit : *OK, ma belle, tout sera bientôt terminé*. Et si je ne me détendais pas, tout le plaisir allait m'échapper. Alors j'ai rejeté la tête en arrière, j'ai laissé tomber le «pas, pas, pirouette, coup de pied», et j'ai simplement dansé. *Yahoooo!*

Plusieurs mois après le concert, j'ai reçu un colis de mon amie et mentor Maya Angelou. Elle me disait qu'elle m'envoyait un cadeau qu'elle aimerait que n'importe laquelle de ses filles ait en sa possession. Quand je l'ai ouvert à toute vitesse, j'y ai trouvé le CD d'une chanson de Lee Ann Womack que j'ai encore du mal à écouter sans brailler. Dans le refrain de cette chanson, qui rend hommage à la vie de Maya, il y a ce vers : *When you get the choice to sit it out or dance, I hope you dance* (Quand tu as le choix entre rester assise et danser, j'espère que tu danses).

Ce dont je suis certaine, c'est que chaque journée nous offre la chance de prendre une grande respiration, de nous déchausser et de danser – afin de vivre sans regret et avec autant de joie, de plaisir et de rire que possible. Nous pouvons valser avec courage sur la scène de la vie et mener la vie que notre esprit nous incite à vivre ou encore nous asseoir tranquilles contre le mur, en nous dissimulant dans l'ombre de la peur et du doute.

À vous de choisir à l'instant même – le seul instant que vous tenez avec certitude. J'espère que vous n'êtes pas trop enfoui sous les choses accessoires pour oublier de vous amuser réellement dans la vie, car l'instant présent est sur le point de se terminer. J'espère que vous vous remémorerez la journée d'aujourd'hui comme étant celle où vous aurez décidé de faire compter chaque jour, de savourer chaque heure comme si c'était la dernière. Et j'espère que, si vous avez le choix entre rester assis ou danser, vous danserez.

J e *prends mes plaisirs* au sérieux. Je travaille dur et je joue bien; je crois au yin et au yang de la vie. Un rien fait mon bonheur, car je tire satisfaction de tant de choses que je fais. J'accorde plus de prix à certaines choses, bien entendu. Et comme je m'efforce de mettre en pratique ce que je prêche – vivre l'instant présent –, je suis consciente la plupart du temps de tout le plaisir que je reçois.

Combien de fois ai-je ri à m'en tenir les côtes au téléphone avec ma meilleure amie, Gayle King, au point d'en avoir mal à la tête ? En plein éclat de rire, je me dis parfois : *N'est-ce pas là un cadeau que d'avoir quelqu'un pour me dire la vérité et en rire aussi fort après avoir passé tant d'années à parler chaque soir au téléphone ?* C'est ce que j'appelle un plaisir cinq étoiles.

Le fait d'être conscient des expériences quatre ou cinq étoiles que l'on vit et de s'en créer est une source de bénédiction pour soi. Dans mon cas, le simple fait de me réveiller « avec toute ma tête », d'être capable de descendre moi-même du lit, de me rendre jusqu'à la salle de bains et d'y faire le nécessaire constitue une expérience cinq étoiles. J'ai entendu parler de nombreuses personnes n'ayant pas la santé pour le faire.

Un café bien corsé avec juste assez de crème aromatisée aux noisettes : quatre étoiles. Aller me promener dans les bois en compagnie de mes chiens qui courent librement : cinq étoiles. M'entrainer : une étoile, quand même. Lire le journal du dimanche, assise sous mes chênes : quatre étoiles. Un excellent livre : cinq. Flâner à la table de Quincy Jones, à discuter de tout et de rien : cinq étoiles. Être en mesure de faire du bien aux autres : cinq et plus. Le plaisir provient du fait de savoir que la personne qui reçoit le cadeau comprend dans quel esprit il lui est fait. Je m'efforce chaque jour de faire un geste de bonté pour quelqu'un, que cette personne me soit connue ou non.

Ce dont je suis certaine, c'est que le plaisir constitue une énergie qui nous est rendue : ce que nous donnons nous revient. C'est notre perception de la vie dans son ensemble qui détermine notre degré de plaisir.

Notre vision intérieure, notre doux esprit qui nous murmure avec grâce la direction à emprunter durant toute la vie, compte plus qu'une vision 20/20. Voilà ce que j'appelle le plaisir !

L *a vie abonde en* merveilleux trésors, mais encore faut-il prendre un instant pour les savourer. Je les appelle les moments *aaah*, et j'ai appris à m'en créer moi-même. En voici un exemple typique : ma tasse de masala chai de seize heures (ce thé épicé, chaud et coiffé d'un nuage de mousse de lait aux amandes, que je trouve rafraichissant et qui me procure un petit regain d'énergie pour le reste de l'après-midi). Les instants de ce genre sont puissants. J'en ai la certitude. Ils peuvent vous servir à recharger vos batteries, à reprendre votre souffle et à renouer avec *vous-même*.

Le mot délicieux *m'a toujours* énormément plu. Sa façon de rouler sur ma langue me ravit. Et plus délectable encore qu'un repas succulent, il y a l'expérience délicieuse, riche et à plusieurs étages qui est comparable à un excellent gâteau à la noix de coco. J'en ai connu le plaisir il y a quelques anniversaires – tant le gâteau que l'expérience. C'était un de ces moments que j'appelle un clin d'œil de Dieu, lorsque de manière inattendue tout s'aligne à la perfection.

Je flânais avec un groupe d'amies à Maui; je venais de rentrer de l'Inde et je voulais m'offrir une cure thermale chez moi pour célébrer mes 58 ans.

Comme les amies le font même à cet âge-là, nous nous sommes assises à la table et nous avons discuté jusqu'à minuit. La veille au soir de mon anniversaire, cinq d'entre les huit que nous étions se trouvaient encore à table à minuit et demi, épuisées d'avoir parlé pendant cinq heures de tout un éventail de sujets allant des hommes à la microdermabrasion. Beaucoup de rires, quelques larmes versées. Le genre de discussion à laquelle les femmes s'adonnent lorsqu'elles se sentent en sécurité.

Deux jours plus tard, je devais interviewer le célèbre gourou Ram Dass, et je me suis mise à fredonner par hasard le vers d'une chanson l'évoquant .

Soudain, mon amie Maria m'a dit : « Qu'est-ce que tu fredonnes là ? »

« Oh, c'est juste le vers d'une chanson qui me plait. »

À cela, elle m'a répondu : « Je connais cette chanson. Je l'écoute *tous* les soirs. »

« Tu me fais marcher ? lui ai-je lancé. C'est une chanson peu connue tirée d'un des albums d'une femme du nom de Snatam Kaur. »

« Oui ! s'est exclamée Maria. Oui ! Oui ! Snatam Kaur ! Je l'écoute tous les soirs avant d'aller me coucher. Comment connais-tu sa musique ? »

« Peggy » – une autre amie se trouvant là avec nous – « m'a donné un CD d'elle il y a deux ans, et je l'écoute depuis ce temps-là. Je le fais jouer chaque jour avant de méditer. »

Et voilà que nous nous sommes mises toutes les deux à crier et à rire. « C'est pas *vrai* ! »

« J'ai failli lui demander de venir chanter pour mon anniversaire », ai-je déclaré dès que j'ai eu repris mon souffle. « Et puis je me suis dit : *Non, ce sera trop compliqué. Si j'avais su que ses chansons te plaisaient aussi, j'aurais fait l'effort de l'inviter.* »

Plus tard ce soir-là, couchée dans mon lit, je me suis passé la réflexion suivante : *C'est quand même pas rien. Je me serais donné cette peine pour une amie, mais pas pour moi-même. Je dois décidément mettre en pratique ce que je prêche et m'accorder plus de valeur.* Je me suis endormie en regrettant de ne pas avoir invité Snatam Kaur à chanter.

Le lendemain, le jour de mon anniversaire, nous avons eu droit à une cérémonie de « bénédiction de la terre » par un chef hawaïen. Ce soir-là, nous nous sommes réunies sous le porche pour prendre un cocktail au coucher du soleil. Mon amie Elizabeth s'est levée – pour lire un poème, ai-je cru, ou faire une allocution. Au lieu de cela, elle a déclaré : « Tu le voulais, et maintenant tu l'as manifesté. » Elle a fait retentir un petit carillon, et soudain de la musique s'est mise à jouer.

La musique était étouffée, comme si les hautparleurs fonctionnaient mal. Je me suis demandé : *Mais qu'est-ce qui se passe ?* C'est alors qu'est apparue en marchant sous mon porche… Snatam Kaur, coiffée de son turban blanc. Avec ses musiciens ! « Mais comment est-ce possible ? » me suis-je écriée. Et j'ai pleuré, et *pleuré*. Maria, qui était assise à côté de moi, m'a tenu la main, les yeux larmoyants, en se contentant de hocher la tête. « Tu n'étais pas prête à le faire pour toi-même, alors on l'a fait pour toi. »

Après que j'étais allée me coucher la veille au soir, mes amies avaient téléphoné pour savoir où se trouvait Snatam Kaur, pour voir s'il leur serait possible de la faire venir à Maui dans les douze heures suivantes. Comme la vie et Dieu l'avaient voulu, elle se trouvait avec ses musiciens dans une petite ville située à trente minutes de là, en train de se préparer à donner un concert. Or, elle s'est estimée « honorée » de venir chanter pour nous.

Ce fut l'une des surprises les plus étonnantes de ma vie. Une surprise riche d'une signification que je cherche encore à déchiffrer. Ce dont je suis certaine ? C'est un instant que je savourerai pour toujours – le fait que la chose s'est produite, la façon dont elle s'est matérialisée et le fait qu'elle s'est concrétisée le jour même de mon anniversaire. Tout cela… étant si… *délicieux* !

À quand remonte la dernière fois où vous avez ri avec un ami à vous en tenir les côtes ou vous avez confié vos enfants à une gardienne pour faire une escapade d'un weekend ? Plus précisément, si votre vie se terminait demain, que regretteriez-vous de ne pas avoir fait ? Si c'était aujourd'hui la dernière journée de votre vie, la passeriez-vous comme vous le faites ?

J'ai un jour vu un tableau d'affichage qui a capté mon attention. J'y ai lu : « Celui qui meurt avec le plus de jouets est quand même mort. » Toute personne ayant frôlé la mort saurait vous dire qu'à la fin de votre vie, vous ne vous remémorerez sans doute pas combien de nuits blanches vous aurez passées au bureau ou quelle est la valeur de votre fonds commun de placement. Les pensées qui nous viennent alors à l'esprit sont les questions du genre « Et si », comme : *Qui est-ce que j'aurais pu devenir si j'avais fini par faire les choses que j'ai toujours voulu faire ?*

Le cadeau que constitue la décision de contempler sa mortalité sans détourner le regard ni broncher équivaut à reconnaitre que parce que l'on mourra, on doit vivre maintenant. Le choix entre se démener ou prospérer vous appartient toujours – c'est vous qui exercez la plus grande influence sur votre vie.

Votre parcours de vie commence par le choix de vous lever, d'aller de l'avant et de vivre pleinement.

Y *a-t-il quoi que ce soit* que j'aime plus qu'un bon repas ? Pas grand-chose. Une de mes préférences s'est concrétisée lors d'un voyage à Rome, dans un merveilleux petit restaurant bondé exclusivement d'Italiens, sauf à notre table : mes amis Reggie, Andre, Gayle, la fille de Gayle du nom de Kirby et moi. Nous y mangions à la romaine.

À un certain moment, à l'instigation de notre hôte italien, Angelo, les garçons nous ont apporté tellement d'antipastos délicieux que j'ai réellement senti mon cœur bondir dans ma poitrine comme un moteur passant à la vitesse supérieure. Nous avions devant nous des courgettes farcies de prosciutto et des tranches de tomates fraiches et bien mures entrecoupées de mozzarella fondant si chaud que l'on pouvait voir de minuscules bulles de fromage, ainsi qu'une bouteille de Sassicaia 1985, un vin rouge de Toscane qui respirait depuis une demi-heure, à déguster lentement comme s'il s'était agi d'un velours liquide. Ah… c'étaient des moments à chérir !

Vous ai-je dit que j'ai ajouté à tout cela un bol de soupe aux haricots et pâtes (apprêtée à la perfection) et un petit tiramisu ? Ouais, c'était tout un festin. J'en ai payé le prix en joggant quatre-vingt-dix minutes autour du Colisée le jour suivant, mais chaque bouchée divine en avait valu la peine.

J'entretiens de nombreuses croyances solides. La valeur d'un bon repas en fait partie. Je sais avec certitude qu'un repas qui nous procure une joie réelle nous fera plus de bien à long et à court terme que de la nourriture destinée à émousser l'appétit qui nous fait errer dans la cuisine entre le garde-manger et le frigo. C'est ce que j'appelle un sentiment de pâturage : on veut quelque chose, sans trop savoir quoi. Toutes les carottes, tout le cèleri et tout le poulet sans peau du monde ne sauraient vous procurer la satisfaction d'un morceau de chocolat exquis si c'est ce qui vous fait réellement envie.

J'ai donc appris à déguster un morceau de chocolat – deux au maximum – et à m'arrêter pour le savourer, sachant très bien, à l'instar de Scarlett O'Hara, que « demain sera un autre jour » et que quand y en a plus, y en a encore. Nul besoin de le consommer en entier sous prétexte que l'on en a. Quel concept !

I l y a *plus de deux décennies* que j'ai fait la connaissance de Bob Green dans un gym de Telluride, au Colorado. Je pesais cent-sept kilos à l'époque, le pire poids que j'ai atteint de toute ma vie. J'étais au bout du rouleau et j'avais perdu l'espoir. J'avais tellement honte de mon corps et de mes habitudes alimentaires que j'avais du mal à regarder Bob dans les yeux. Je désespérais de trouver une solution viable.

Bob m'a alors fait faire mes routines d'entrainement. Il m'a encouragée à adopter un mode de vie fondé sur une saine alimentation, bien avant que j'aie entendu parler des magasins d'aliments naturels. J'ai résisté, mais même si j'ai suivi toutes sortes de régimes, ses conseils sont restés cohérents et sages : consommez des aliments qui favoriseront une bonne santé.

Il y a quelques années, j'ai fini par vivre un de ces fameux moments *eurêka* et je me suis mise à cultiver mes propres légumes. Et ce qui a commencé par quelques rangs de laitue, quelques tomates et du basilic (mon herbe aromatique préférée) dans mon jardin de Santa Barbara est devenu une vraie ferme à Maui. Mon intérêt pour le jardinage s'est transformé en passion.

La vue de la chicorée rouge que nous cultivons, du chou frisé qui me va à la hauteur des genoux et des radis si gros que je les appelle des derrières de babouin me rend ridiculement heureuse, car tout cela représente pour moi un moment de complétude.

Dans la région rurale du Mississippi où je suis née, le potager était synonyme de survie. À Nashville, où j'ai vécu plus tard, mon père aménageait toujours une « parcelle » à côté de la maison, où il faisait pousser du chou cavalier, des tomates, des doliques à œil noir et des haricots jaunes.

Aujourd'hui, ils composent mon repas préféré; ajoutez-y du pain de maïs et vous me ferez saliver. Reste que, lorsque j'étais très jeune, je ne voyais pas la nécessité de manger des aliments frais. « Pourquoi est-ce qu'on ne peut pas avoir de la nourriture d'épicerie comme tout le monde ? » me plaignais-je. Je voulais que mes légumes proviennent de « la vallée du joyeux Géant vert » (marque de conserves américaine) ! Le fait de devoir manger les produits du potager me donnait le sentiment d'être pauvre.

Je sais maintenant avec certitude combien j'étais bénie d'avoir accès à des produits frais, quelque chose qui n'est pas à la portée de toutes les familles d'aujourd'hui.

Merci Seigneur pour le jardinage !

J'ai travaillé dur pour ensemencer ma vie de manière à ce que mes rêves ne cessent de s'épanouir. Un de ces rêves est de voir un jour tout le monde avoir la possibilité de manger des produits frais allant de la ferme à leur table, car une meilleure alimentation constitue le fondement d'une vie meilleure. Oui, Bob, je l'affirme par écrit : Tu avais raison depuis le début !

J'*ai fait la connaissance* de Gayle King en 1976, lorsque j'étais présentatrice des actualités télévisées pour une station de Baltimore et qu'elle était assistante à la production. Nous évoluions toutes les deux dans des cercles qui interagissaient rarement entre eux et certainement pas de manière amicale. Or, dès le jour de notre première rencontre, Gayle a fait savoir à tout le monde combien elle était fière que j'aie accédé au poste prestigieux de présentatrice des actualités télévisées et combien elle se réjouissait à l'idée de faire partie de la même équipe que moi. Et cela n'a jamais changé depuis.

Nous ne nous sommes pas liées d'amitié dès le début. Nous n'étions que deux femmes qui se respectaient et appuyaient le cheminement l'une de l'autre. Puis, un soir, après une violente tempête de neige, Gayle a été dans l'impossibilité de rentrer chez elle, si bien que je l'ai invitée à dormir chez moi. Sa plus grande préoccupation? Les sous-vêtements. Juste pour s'en procurer des propres, elle était déterminée à conduire soixante-quatre kilomètres en pleine tempête de neige jusqu'à Chevy Chase, au Maryland, où elle vivait avec sa mère. «J'ai beaucoup de sous-vêtements propres, lui ai-je dit. Tu peux utiliser les miens, ou encore, on peut aller t'en acheter.»

Une fois que je l'ai eu convaincue de venir à la maison avec moi, nous avons passé la nuit entière à parler. Et sauf durant quelques vacances passées à l'étranger, Gayle et moi nous sommes parlé chaque jour depuis ce temps-là.

Nous rions beaucoup, surtout de nous-mêmes. Elle m'a aidée à surmonter des rétrogradations, des moments où je risquais d'être licenciée, le harcèlement sexuel, ainsi que mes relations tordues et exécrables de la vingtaine, lorsque j'ignorais la différence entre ma personne et une carpette. Soir après soir, Gayle m'écoutait lui raconter mes derniers malheurs : comment on m'avait posé un lapin, menti et causé du tort. Elle me demandait toujours des détails (que nous désignons par l'expression « livre, chapitre et verset ») et semblait toujours s'identifier à mon sort comme si ces choses lui arrivaient à elle. Elle ne m'a jamais jugée. Par contre, lorsqu'il m'arrivait de laisser un homme se servir de moi, elle me disait souvent : « Il ne fait que te grignoter l'esprit. J'espère qu'un jour il te l'aura assez grignoté pour que tu voies enfin qui tu es vraiment – quelqu'un qui a droit au bonheur. »

Au sein de toutes mes victoires – dans toutes les bonnes choses et les choses extraordinaires qui me sont arrivées –, Gayle a été la personne qui m'a encouragée avec le plus d'audace. (Bien entendu, peu importe combien d'argent je gagne, elle s'inquiète toujours de me voir trop dépenser. « Souviens-toi de M. C. Hammer », me réprimande-t-elle, comme si je risquais sous peu de suivre les traces du rappeur qui a fait faillite.) Et durant toutes nos années d'amitié, je n'ai jamais senti le moindre soupçon de jalousie de sa part. Elle aime sa vie, elle aime sa famille, elle aime courir les rabais (suffisamment pour s'obliger à traverser la ville en entier dans le but de profiter d'un solde de savon à lessive).

Une seule fois m'a-t-elle avoué avoir désiré changer de place avec moi : le soir où j'ai chanté sur scène avec Tina Turner. Elle qui ne parvient pas même à chanter juste a pour fantasme de devenir chanteuse.

Gayle est la personne la plus gentille que je connais. Elle s'intéresse sincèrement à la vie de tout le monde. C'est le genre à demander à un chauffeur de taxi newyorkais s'il a des enfants.

« Comment s'appellent-ils ? » lui demanderait-elle. Lorsque je me sens déprimée, elle compatit à ma douleur; lorsque j'ai le moral, c'est certain qu'elle est quelque part en arrière-plan, à applaudir plus fort et à sourire plus que n'importe qui d'autre. J'ai parfois l'impression que Gayle est la meilleure partie de moi-même. La partie qui me dit : « Peu importe ce qui se passe, je suis là pour toi. » Ce dont je suis certaine, c'est que Gayle est une amie sur qui je peux compter. Elle m'a appris la joie d'avoir, et d'être, une vraie amie.

Adopter *trois nouveaux chiots* en même temps n'a pas été la meilleure des décisions que j'ai prises au cours de ma vie. J'ai agi par impulsion, me laissant séduire par le charme de leurs jolis museaux, la douce respiration des chiots et le surplomb vertical de Chiot n° 3 (Layla).

J'ai passé des semaines par la suite à me réveiller à toute heure de la nuit à cause d'eux. J'ai ramassé des tonnes d'excréments et j'ai consacré de nombreuses heures à enseigner les bonnes manières à mes chiots.

Cela a représenté *beaucoup* de travail. Je manquais de sommeil. J'étais constamment épuisée à force d'essayer d'empêcher ces trois-là de détruire en même temps tous mes biens matériels. Aïe ! je tire mon chapeau aux femmes qui ont de vrais bébés.

Tous ces amours de chiots commençaient à me taper sur les nerfs, si bien que j'en suis venue à devoir changer de façon de faire. Un jour que je les promenais, je me suis arrêtée pour les regarder gambader, et je dis bien gambader : se rouler par terre, culbuter, se pourchasser, rire (oui, les chiens rient) et sauter comme des lapins. Ils s'amusaient comme des fous. Or, à les regarder aller, tout mon corps en est venu à soupirer, à se détendre et à sourire. Une nouvelle vie qui découvrait un champ d'herbe pour la première fois : quelle merveille !

Nous avons tous l'occasion de nous émerveiller chaque jour, mais nous sommes devenus indifférents. Vous est-il déjà arrivé de rentrer chez vous au volant de votre voiture, d'entrer dans la maison et de vous demander comment vous aviez fait le trajet ?

Je sais avec certitude que je ne veux pas mener une vie enlisée, insensible et aveugle. Je veux que chacune de mes journées me permette de nouveau d'élargir mes horizons. Pour connaitre la joie à tous les niveaux.

J e me plais à allumer un feu dans le foyer. Quel sentiment du devoir accompli on ressent en installant le bois exactement de la bonne façon (sous forme de pyramide) et en voyant la flamme prendre vie sans recourir à une buche d'allumage ! J'ignore pourquoi je trouve cela aussi gratifiant, mais c'est le cas. Lorsque j'étais enfant, je rêvais d'être éclaireuse, mais ma famille n'a jamais pu se permettre de m'acheter l'uniforme.

L'allumage d'un feu vaut encore mieux lorsqu'il tombe des cordes à l'extérieur. Et c'est le bonheur absolu lorsque j'ai fini de travailler, que j'ai pris connaissance de mes courriels, que je me suis débranchée de tout et que je suis prête à me mettre à la lecture.

Tout ce que je fais toute la journée, je le fais afin de me préparer à mon temps de lecture. Donnez-moi un excellent roman ou des mémoires captivants, du thé et un siège confortable sur lequel m'installer à mon aise et je serai au paradis. J'aime beaucoup accéder aux pensées d'une autre personne; je m'émerveille devant les liens que je ressens avec les personnes qui prennent vie sur la page, peu importe à quel point leur situation peut différer de la mienne. Non seulement j'ai le sentiment de connaitre ces gens, mais encore je m'identifie davantage à eux. Idées pertinentes, information, connaissances, inspiration, pouvoir : tout cela, et plus encore, nous est accessible par l'entremise d'un bon livre.

Je ne saurais imaginer où j'en serais rendue ou qui je serais devenue sans l'outil essentiel de la lecture. Une chose est certaine : je n'aurais pas obtenu mon premier emploi à la radio à l'âge de seize ans. Je visitais la station de radio WVOL à Nashville lorsque le disc-jockey m'a demandé : « Veux-tu entendre à quoi ressemblerait ta voix sur enregistrement ? », puis il m'a remis la copie d'un article de journal et un microphone. « Il faut que tu entendes cette fille-là ! » s'est-il exclamé en s'adressant à son patron. C'est ainsi qu'a commencé ma carrière en radiodiffusion. Peu après, la station m'a engagée pour lire les nouvelles en direct. Après avoir passé des années à réciter de la poésie à qui voulait bien l'entendre et à lire tout ce sur quoi je parvenais à mettre la main, j'allais être rémunérée pour faire ce qui me plaisait tant : lire à voix haute.

Pour moi, les livres constituaient un moyen de m'évader. Je considère maintenant la lecture d'un bon livre comme un luxe sacré, la chance de me trouver dans n'importe quel lieu de mon choix. C'est mon passetemps par excellence. Ce dont je suis certaine, c'est que la lecture élargit notre vision des choses. Elle nous expose à tout ce que notre esprit peut contenir et nous y donne accès. Ce qui me plait le plus dans la lecture, c'est qu'elle nous rend capables d'atteindre de nouveaux sommets, sans compter qu'elle nous permet de poursuivre notre ascension.

M on *but principal et essentiel* dans la vie consiste à rester branchée sur le monde de l'esprit. Tout le reste se placera de lui-même, ça, j'en ai la certitude. Et mon exercice spirituel prioritaire consiste à tenter de vivre l'instant présent… à résister à la tentation de me projeter dans l'avenir ou à me plaindre de mes erreurs passées… à ressentir le pouvoir réel du moment présent. Voilà, mes amis, le secret d'une vie joyeuse.

Si tout le monde se souvenait de vivre de cette façon (comme les enfants le font lorsqu'ils arrivent sur la planète; ce que nous, âmes endurcies, appelons l'innocence), nous transformerions le monde. À nous amuser, à rire et à éprouver de la joie.

Mon verset biblique préféré, que j'aime énormément depuis l'âge de huit ans, c'est le Psaume 37.4 : « Fais de l'Éternel tes délices, et il te donnera ce que ton cœur désire. » C'est lui qui m'a servi de mantra tout au long de mon vécu. Faites de l'Éternel vos délices – en usant de bonté, de douceur, de compassion et d'amour –, et voyez ce qui se produira.

Je vous mets au défi de le faire.

La résilience

« *La grange a brulé / Maintenant je peux voir la lune.* »
—Mizuta Masahide
(poète japonais du 17e siècle)

P*eu importe qui nous sommes* ou d'où nous venons, nous avons toujours notre propre voyage de vie à faire. Le mien a commencé par un après-midi du mois d'avril 1953, dans une région rurale du Mississippi, où j'ai été conçue hors des liens du mariage par Vernon Winfrey et Vernita Lee. Leur union d'un jour, complètement dénuée de romantisme, a mené à une grossesse non désirée. Or, ma mère a tu son état jusqu'au jour de ma naissance, si bien que personne ne s'était préparé à mon arrivée. Il n'y a pas eu de fête prénatale. Sur le visage de personne n'a-t-on pu lire l'anticipation ou le ravissement que je vois sur le visage de mes amies enceintes qui caressent avec révérence leur ventre gonflé. Ma naissance a été marquée par le regret, la dissimulation et la honte.

Lorsque l'auteur et conseiller John Bradshaw, pionnier du concept de l'enfant en soi, a paru à l'émission *The Oprah Winfrey*

Show en 1991, il nous a fait faire, à mon auditoire et à moi-même, un exercice tout en profondeur. Il nous a demandé de nous fermer les yeux et de retourner dans la maison où nous avions grandi, afin de la visualiser. Approchez-vous-en, nous a-t-il dit. Regardez par la fenêtre et retrouvez-vous à l'intérieur. Que voyez-vous ? Et plus important encore, que ressentez-vous ? Dans mon cas, cet exercice en a été un d'une tristesse déconcertante, mais puissant. Ce que j'ai ressenti à presque tous les stades de mon développement a été un sentiment de solitude. Pas du fait d'être seule, car il y avait toujours des gens autour de moi, mais du fait de savoir que la survie de mon âme dépendait uniquement de moi. J'avais le sentiment que j'allais devoir me débrouiller seule.

Enfant, j'aimais beaucoup que des gens viennent chez ma grand-mère après l'église. Lorsqu'ils repartaient, j'appréhendais de me retrouver seule avec mon grand-père, qui était sénile, et ma grand-mère, qui était souvent épuisée et impatiente. J'étais la seule enfant à des kilomètres à la ronde, si bien que j'ai dû apprendre à être seule avec moi-même. Je me suis inventé de nouvelles façons d'être solitaire. J'avais des livres, des poupées faites à la main, des corvées et des animaux de ferme auxquels je donnais souvent des noms et je parlais fréquemment. Je suis certaine que tout ce temps passé seule a énormément contribué à définir l'adulte que j'allais devenir.

En regardant ma vie par la fenêtre de John Bradshaw, j'étais triste que les gens les plus proches de moi ne semblent pas comprendre combien j'étais une petite fille gentille. Par contre, je me suis sentie également fortifiée de le constater par moi-même.

Comme moi, il se peut que vous ayez vécu des choses qui vous ont fait vous sentir indigne. Je sais avec certitude que de guérir nos blessures passées compte au nombre des défis de la vie parmi les plus grands et qui en valent le plus la peine. Il importe que vous sachiez quand et comment on vous a programmé, afin que vous puissiez modifier cette programmation. Or, cette responsabilité vous incombe, et à personne d'autre. Il existe une loi irréfutable de l'univers : chacun de nous est responsable de sa propre vie.

Si vous rendez quelqu'un d'autre responsable de votre bonheur, vous perdez votre temps. Vous devez avoir suffisamment de courage pour vous donner l'amour que vous n'avez pas reçu. Cherchez à remarquer en quoi chaque journée vous procure une nouvelle occasion de grandir. En quoi les désaccords que vous avez eus avec votre mère et que vous avez enfouis au fond de votre mémoire ont-ils le don de ressurgir avec votre conjoint ou votre conjointe ? En quoi le sentiment d'indignité teinte-t-il tout ce que vous faites (ou ne faites pas) ? Toutes ces expériences sont les façons qu'a votre vie de vous pousser à laisser le passé derrière vous et à rechercher la plénitude de votre être. Ouvrez les yeux. Chaque choix que vous faites vous procure la chance de paver votre propre route. Continuez d'aller de l'avant. Foncez.

Tout défi que nous relevons a le pouvoir de nous faire tomber à genoux. Ce qu'il y a d'encore plus déconcertant que la secousse en soi, c'est toutefois la crainte que nous avons de ne pas parvenir à y résister. En sentant le sol trembler sous nos pas, nous cédons à la panique. Nous oublions tout ce que nous savons et nous laissons la peur nous paralyser. La simple pensée de ce qui risque de nous arriver suffit à nous déséquilibrer.

Ce dont je suis certaine, c'est que le seul moyen de surmonter le séisme consiste à modifier notre position. Il est impossible d'éviter les secousses quotidiennes. Elles font partie de la vie. Par contre, je crois que ces expériences sont des cadeaux visant à nous obliger à faire un pas vers la droite ou la gauche à la recherche d'un nouveau centre de gravité. Ne les combattez pas. Permettez-leur de vous aider à améliorer votre équilibre.

L'équilibre vit dans le présent. Lorsque vous sentez la terre bouger sous vos pieds, revenez au moment présent. Vous composerez avec la prochaine secousse que le prochain instant vous apportera lorsque vous y serez. *Pour l'instant*, vous respirez encore. *Pour l'instant*, vous avez survécu. *Pour l'instant*, vous trouvez le moyen de passer à l'échelon suivant.

P endant des années, j'ai gardé un secret que presque personne ne connaissait. Même Gayle, qui savait pourtant tout de moi, n'en a pas été informée avant que nous ayons été amies depuis plusieurs années. Il en va de même pour Stedman. Je l'ai tu jusqu'à ce que je me sente suffisamment à l'aise de le révéler : les années où j'ai été victime de sévices sexuels, de l'âge de dix à quatorze ans, la promiscuité sexuelle qui en a résulté et la grossesse qui est survenue quand j'ai eu quatorze ans. J'en avais tellement honte que j'ai caché ma grossesse jusqu'à ce que mon médecin remarque mes chevilles et mon ventre enflés. J'ai donné naissance en 1968; le bébé est mort à l'hôpital quelques semaines plus tard.

Je suis retournée à l'école sans en parler à qui que ce soit. Je redoutais que, si mon secret était percé à jour, on m'expulse de l'école. J'ai donc emporté ce secret dans mon avenir, craignant toujours que, si qui que ce soit découvrait ce qui s'était passé, cette personne m'expulserait elle aussi de sa vie. Même lorsque j'ai trouvé le courage de révéler ces sévices en public, j'en portais encore la honte et j'ai continué de taire la grossesse qui s'était ensuivie.

Lorsqu'un membre de ma famille, qui est mort depuis, a coulé cette histoire aux tabloïdes, tout a changé. J'en ai été anéantie. Blessée. Je me suis sentie trahie. Comment cette personne avait-elle pu me faire une chose pareille ? J'en ai pleuré toutes les larmes de mon corps. Je me souviens que Stedman est entré ce dimanche après-midi dans la chambre à coucher plongée dans l'obscurité, car les rideaux étaient fermés. Se tenant devant moi, avec l'air d'avoir pleuré lui aussi, il m'a dit : « Je suis vraiment désolé. Tu ne mérites pas ça. »

Lorsque je suis sortie du lit de peine et de misère le lundi matin suivant l'annonce de cette nouvelle pour me rendre au travail, je me sentais brisée et affolée. Je m'imaginais que tout le monde dans la rue me montrerait du doigt et hurlerait : « Enceinte à quatorze ans, méchante fille… tu es expulsée ! » Cependant, personne n'a dit quoi que ce soit, ni les inconnus ni les autres. Cela m'a frappée. Personne ne s'est mis à me traiter différemment. Pendant des décennies, je m'étais attendue à une réaction qui n'est jamais venue.

D'autres m'ont trahie depuis, mais même si leurs trahisons me font mal, elles ne me font plus pleurer ou garder le lit. Je m'efforce toujours de ne pas oublier les paroles d'Ésaïe 54.17 : « Toute arme forgée contre toi sera sans effet. » Tout moment difficile a ses bons côtés, et je n'ai pas tardé à comprendre que la révélation de mon secret s'est avérée libératrice. Ce n'est qu'alors que j'ai pu commencer à réparer les dommages causés à mon esprit durant ma jeunesse. Je me suis rendu compte que, durant toutes ces années, je m'en étais voulu à moi-même. Ce dont j'ai acquis la certitude, c'est que retenir la honte est le pire des fardeaux que l'on puisse s'imposer. Quand on n'a aucune raison d'avoir honte, quand on sait qui l'on est et ce qui compte pour soi, on se tient dans la sagesse.

Chaque fois que j'ai une décision difficile à prendre, je me pose la question suivante : Qu'est-ce que je ferais si je ne redoutais pas de faire une erreur, de me sentir rejetée, d'être ridiculisée ou de me retrouver seule ? Je sais avec certitude que, lorsque nous faisons abstraction de la crainte, la réponse que nous cherchions émerge dans notre esprit. Et en affrontant ce qui nous fait peur, *nous* devrions avoir la certitude que nos plus grands combats peuvent, si nous y sommes disposés et ouverts, engendrer nos plus grandes forces.

V ous est-il déjà arrivé de tomber sur une vieille photo et qu'elle vous fasse instantanément remonter dans le temps, au point d'en ressentir les vêtements que vous portiez alors ?

Il y a une photo de moi à l'âge de vingt-et-un ans qui me procure précisément ce sentiment. La jupe que je portais m'avait couté 40 $, soit plus que je n'en avais jamais dépensé pour un seul vêtement, mais j'étais prête à y mettre le prix pour ma première grande entrevue avec une célébrité : Jesse Jackson. Il prenait la parole devant un lycée du quartier pour dire aux jeunes : « À bas la drogue ! Vive l'espoir ! » Et l'on m'avait demandé de faire un reportage sur lui. Mon chef des nouvelles ne croyait pas que l'évènement valait la peine que l'on y consacre du temps, mais j'avais insisté pour le couvrir (d'accord, je l'avais supplié), en lui assurant que je reviendrais avec un reportage digne des actualités de dix-huit heures. Et c'est ce que j'ai fait.

Je me plaisais énormément à raconter l'histoire des gens, à extraire la vérité de leur vécu et à la distiller en une sagesse susceptible d'informer, d'inspirer et d'avantager une autre personne. Reste que j'avais des doutes quant à ce que je devais dire à Jackson ou comment le lui dire.

Si j'avais su à l'époque ce que je sais maintenant, je n'aurais jamais gaspillé une seule minute à douter de la voie à emprunter.

En effet, lorsqu'il s'agit des choses du cœur, des émotions, des relations et de prendre la parole devant de grands auditoires, j'excelle. Quelque chose se produit entre moi et toute personne avec qui j'engage une conversation : je ressens son être et je nous sens vibrer à l'unisson. Cela est attribuable au fait que je sais avec certitude que tout ce que j'ai traversé ou éprouvé, l'autre l'a traversé et l'a éprouvé également, et probablement plus que moi. Le lien exceptionnel qui m'unit à n'importe qui avec qui je m'entretiens nait du fait que je sais que nous sommes tous sur le même chemin, nous désirons tous les mêmes choses : l'amour, la joie et la reconnaissance.

Peu importe le défi que vous avez à surmonter, vous devez vous rappeler que même si la toile de votre vie se peint au fil de vos expériences, de vos comportements, de vos réactions et de vos émotions, c'est *vous* qui avez le pinceau en main. Si je l'avais su à vingt-et-un ans, j'aurais pu m'épargner beaucoup de souffrances et de doutes. Cela aurait été une révélation pour moi de comprendre que nous sommes tous les artisans de notre propre vie – et que nous pouvons utiliser autant de couleurs et de coups de pinceau que nous le voulons.

J*e me suis toujours targuée* d'être autonome, intègre et d'un bon appui pour les autres. Par contre, la ligne est mince entre la fierté et l'égo. Et j'ai appris qu'il arrive parfois que l'on doive mettre son égo de côté pour reconnaitre la vérité. Lorsque les choses se corsent, j'ai découvert que le mieux que je pouvais faire, c'était donc de me poser une simple question : *Qu'est-ce que c'est censé m'apprendre ?*

Je me rappelle que, quand je me suis approprié l'émission *Oprah* en 1988, j'ai dû acheter un studio et engager tous les producteurs. Il y avait mille-et-une choses que j'ignorais. J'ai fait beaucoup d'erreurs au cours de mes premières années (y compris une erreur d'une telle gravité que l'on a dû faire venir un prêtre pour qu'il fasse le ménage spirituel du studio par la suite). Heureusement pour moi, je n'étais pas aussi connue à l'époque. J'ai donc pu en tirer une leçon et une croissance en privé.

Aujourd'hui, une partie du prix à payer pour ma réussite consiste à apprendre mes leçons en public. Si je fais un faux pas, les gens le savent; et certains jours, le stress associé à cette réalité me donne envie de hurler. Par contre, il y a une chose dont je suis certaine : je ne suis pas du genre à hurler. Je peux compter sur les doigts d'une seule main le nombre de fois dans ma vie, quatre en tout, où j'ai élevé le ton en m'adressant à quelqu'un.

Lorsque je me sens déconcertée, je me retire généralement dans un endroit tranquille. La cabine de toilette est l'endroit parfait. Je me ferme les yeux, j'entre en moi-même et je respire jusqu'à ressentir le petit espace paisible en moi qui correspond au même qu'en vous, que dans les arbres et qu'en toute chose. Je respire jusqu'à ce que je sente cet espace grandir et me remplir. Et j'en viens toujours à faire tout le contraire de hurler : je souris d'émerveillement devant toute la réalité.

Non, mais c'est vrai ! Comment une femme comme moi, qui est née et qui a grandi dans l'État du Mississippi à l'époque de l'apartheid, et qui a dû aller en ville toute sa jeunesse pour regarder la télévision – on était loin d'avoir les moyens d'en avoir une à la maison – a-t-elle pu se rendre là où j'en suis rendue aujourd'hui ?

Peu importe où vous en êtes rendu dans votre voyage de vie, j'espère que vous aussi continuerez d'avoir des défis à surmonter. C'est une bénédiction que de parvenir à y survivre, de mettre un pas devant l'autre – d'être en mesure d'escalader la montagne de la vie, sachant que le sommet est encore devant soi. Et chaque expérience est un précieux enseignant.

N*ous devons tous parfois essuyer l'échec*, ce qui nous oblige à nous revaloriser et à savoir qui nous sommes. Si votre mariage bat de l'aile, vous perdez un emploi par lequel vous vous définissiez, les gens sur qui vous comptiez vous tournent le dos, il ne fait aucun doute que le secret pour améliorer votre situation consiste à changer la perception que vous en avez. Je sais avec certitude que tous nos obstacles ont un sens. Et l'ouverture sur la possibilité de tirer des leçons de ces défis décidera de votre réussite ou de votre enlisement.

En vieillissant, *je sens* que mon corps se transforme. J'ai beau tout essayer, je ne parviens plus à courir aussi vite qu'avant, mais à dire vrai, cela ne me dérange pas vraiment. Tout change : les seins, les genoux et l'attitude. Je m'émerveille maintenant de mon sang-froid. Les évènements qui m'ébranlaient auparavant et qui me faisaient plonger la tête dans un sac de chips me laissent maintenant indifférente. Mieux encore, je suis au courant de certaines choses qui me concernent que seule une vie entière d'apprentissage peut procurer.

Comme j'ai pour habitude de le dire, j'ai toujours su que je me trouvais exactement où j'étais censée être lorsque j'étais en scène en train de parler à des téléspectateurs du monde entier. C'était réellement ma zone idéale. Reste que l'univers abonde en surprises, étant donné que je découvre qu'en ce qui a trait aux zones idéales, nous ne sommes pas limités à une seule. À différents moments au cours de notre voyage de vie, si nous y prêtons attention, nous verrons que nous avons l'occasion de chanter la chanson que nous sommes censés chanter sur la tonalité parfaite de la vie. Tout ce que nous avons déjà fait et tout ce que nous sommes censés faire s'harmonise avec la personne que nous sommes. Lorsque cela se produit, nous vivons l'expression la plus vraie de notre être.

J'ai le sentiment d'avancer actuellement dans cette direction, et c'est ce que je vous souhaite également.

Une de mes plus grandes leçons a consisté à comprendre pleinement que ce qui ressemble à un passage sombre de notre quête de réussite correspond au fait pour l'univers de nous indiquer une nouvelle direction. Tout peut constituer une bénédiction, une opportunité, un miracle si l'on choisit de le percevoir ainsi. Si l'on ne m'avait pas démis de mon poste de présentatrice des actualités télévisées de dix-huit heures à Baltimore en 1977, l'offre d'une émission-débat ne m'aurait jamais été faite lorsqu'elle l'a été.

Si vous parvenez à voir les obstacles pour ce qu'ils sont, vous ne perdrez jamais espoir sur le chemin à emprunter pour parvenir là où vous désirez aller. Ce dont je suis certaine ? La personne que vous êtes censé devenir évolue à partir de là où vous vous trouvez actuellement. Ainsi, le fait que vous appreniez à apprécier vos leçons, vos erreurs et vos revers à leur juste valeur, en tant que tremplins vers l'avenir, indique clairement que vous progressez dans la bonne direction.

D urant les périodes difficiles, je me tourne souvent vers une chanson gospel intitulée « Stand ». Dans cette chanson, l'auteur-compositeur Donnie McClurkin chante : « What do you do when you've done all you can, and it seems like it's never enough ? What do you give when you've given your all, and it seems like you can't make it through ? » (Que faire quand on a fait tout son possible et que ce ne semble jamais être assez ? Que donner quand on a tout donné et qu'on n'a pas l'impression qu'on va y arriver ?) La réponse se trouve dans le refrain tout simple de McClurkin : « You just stand » (Tu te tiens debout).

Voilà d'où tirer notre force – notre capacité à affronter la résistance et à la traverser. Ce n'est pas que les gens qui persévèrent ne connaissent jamais le doute, la crainte et l'épuisement. Ils n'en sont pas exempts. C'est que dans les moments les plus pénibles, nous pouvons avoir la foi que, si nous faisons un seul pas de plus que ce dont nous nous croyons capables, si nous puisons dans la détermination extraordinaire que possède tout être humain, nous apprendrons certaines des leçons les plus profondes que la vie a à nous offrir.

Ce dont je suis certaine, c'est que sans défis, sans adversité, sans résistance et souvent sans douleur, on ne saurait avoir de force. Le problème qui vous donne envie de lever les mains en l'air en suppliant que l'on vous fasse grâce aura pour effet d'affermir votre ténacité, votre courage, votre discipline et votre détermination.

J'ai appris à compter sur la force dont j'ai hérité de tous ceux qui m'ont précédée : les grands-mères, les sœurs, les tantes et les frères qui ont traversé des épreuves inimaginables et qui y ont survécu malgré tout. «J'avance seule, et je me tiens debout comme si j'étais dix-mille personnes» (traduction libre), proclame Maya Angelou dans son poème intitulé «Our Grandmothers» (Nos grands-mères). En parcourant le monde, j'apporte toute mon histoire – tous les gens qui m'ont pavé la route font partie de la personne que je suis.

Réfléchissez un instant à votre *propre* histoire – pas uniquement à l'endroit où vous êtes né ou vous avez grandi, mais aux circonstances qui vous ont amené à vous trouver ici même aujourd'hui. Quels sont, chemin faisant, les instants qui vous ont blessé ou affolé ? Selon toutes probabilités, vous en avez connu quelques-uns. Voici néanmoins ce qu'il y a de remarquable dans tout cela : vous êtes encore là, et debout.

Les relations

—— 🖋 ——

« L'amour est le fait existentiel primordial. Il s'agit de notre
réalité ultime et de notre raison d'être sur la terre. »
—Marianne Williamson

L e fait de m'être entretenue avec des milliers de personnes au fil des ans m'a fait comprendre que nous avons tous en commun un même désir : nous souhaitons que les gens nous estiment. Que vous soyez une mère à Topeka ou une femme d'affaires à Philadelphie, sachez que chacune de nous désire au plus profond d'elle-même être aimée, utile, comprise et encouragée – jouir de relations intimes qui lui procurent le sentiment d'être plus en vie et plus humaine.

J'ai filmé une émission un jour dans laquelle j'interviewais sept hommes de différents âges et d'antécédents variés, qui avaient tous une certaine chose en commun : ils avaient trompé leur femme. Cette conversation a été l'une des plus intéressantes et des plus franches que j'ai jamais eues. Un grand moment *eurêka*. J'ai alors compris que le désir ardent d'être entendu, utile et important est si fort en chacun de nous que nous recherchons cette affirmation sous toutes les formes possibles. Pour beaucoup de gens – hommes et femmes –, avoir une aventure constitue la confirmation d'une chose : *je suis tout à fait acceptable*. Un des hommes que j'ai interviewés, ayant été marié depuis dix-huit ans et ayant cru qu'il possédait un code moral qui lui permettrait de surmonter le flirt, a dit au sujet de sa maitresse : «Elle n'avait rien de particulier. Mais elle savait écouter, s'intéresser à moi et me faire me sentir unique. » C'est la clé, me suis-je dit – nous voulons tous avoir le sentiment de compter pour quelqu'un.

Lorsque j'étais petite et que l'on me trimbalait entre le Mississippi, Nashville et Milwaukee, je ne me sentais pas aimée. J'ai cru obtenir l'approbation des gens en devenant performante. Puis, dans la vingtaine, j'ai fondé ma valeur sur ma capacité à me faire aimer d'un homme. Je me rappelle même avoir jeté une fois les clés de mon petit ami dans les toilettes pour l'empêcher de me quitter ! Je n'étais en rien différente d'une femme violentée. Je ne recevais pas des claques par la tête tous les soirs, mais parce que j'avais les ailes rognées, je ne parvenais pas à prendre mon envol. J'avais plusieurs cordes à mon arc, mais je croyais n'être rien sans un homme. Ce n'est que bien des années plus tard que j'ai pris conscience que l'amour et l'approbation que je désirais tant ne pouvaient se trouver ailleurs qu'en moi-même.

Ce dont je suis certaine, c'est que le manque d'intimité ne correspond pas au fait d'être distant envers une personne; il s'agit d'un manque d'égard pour soi-même. Il est vrai que nous avons tous besoin du genre de relations qui nous enrichit et nous soutient. Il est par contre tout aussi vrai que, si vous recherchez une personne dans l'espoir qu'elle vous guérisse et vous complète – pour qu'elle fasse taire la voix intérieure, qui vous murmure sans cesse : *Tu ne vaux rien* –, vous perdez votre temps. Pourquoi ?

Parce que si vous ne savez pas déjà que vous avez de la valeur, il n'y a rien que vos amis, votre famille et votre conjoint ou conjointe puissent vous dire qui vous en convaincra entièrement. Le Créateur vous a confié toute la responsabilité de votre vie. Or, cette responsabilité s'accompagne d'un privilège extraordinaire : le pouvoir de se donner à soi-même l'amour, l'affection et l'intimité qu'il se peut que vous n'ayez pas reçus enfant. Vous êtes la meilleure mère, le meilleur père, la meilleure sœur, le meilleur ami ou la meilleure amie, le meilleur cousin ou la meilleure cousine et le meilleur amant ou la meilleure amante que vous puissiez jamais avoir.

En ce moment, il vous suffit de faire le choix de vous percevoir comme quelqu'un dont la vie est importante, alors choisissez de voir les choses ainsi. Inutile de gaspiller une seule seconde de plus à vous concentrer sur un passé privé d'une affirmation que vous auriez dû recevoir de vos parents. Oui, vous méritiez cet amour, mais il vous revient maintenant de vous l'accorder à vous-même et d'aller de l'avant. Cessez d'attendre que votre mari vous dise : « Je t'estime », que vos enfants vous disent que vous êtes une mère formidable, qu'un homme vous kidnappe pour vous épouser ou que votre meilleure amie vous assure que vous êtes une perle. Regardez en vous-même ; l'amour commence par soi-même.

La communication est la clé de toute relation. Or, j'ai toujours considéré la communication comme une danse. Une personne fait un pas en avant, son ou sa partenaire fait un pas en arrière. Un seul faux pas suffirait à faire tomber les deux au sol. Et si vous vous retrouvez dans cette position – avec votre conjoint ou conjointe, votre collègue, votre ami ou amie, votre enfant –, j'en suis venue à comprendre que le mieux à faire consiste toujours à demander à l'autre : « Que veux-tu au juste ? » Il se pourrait qu'au début vous remarquiez un petit malaise, beaucoup de raclements de gorge et peut-être un certain silence. Par contre, si vous vous taisez assez longtemps pour obtenir la vraie réponse, je vous assure qu'elle prendra la forme d'une variante de ce qui suit : « Je veux savoir que tu m'estimes. » Tendez-lui la perche avec compréhension en lui offrant trois des mots les plus importants que n'importe qui d'entre nous pourrait entendre : « Je te comprends. » J'ai l'assurance que votre relation s'en portera mieux.

J e n'ai jamais été une personne sociable. Je sais que cela étonnera surement la plupart des gens, mais demandez à n'importe lequel de mes intimes et il vous le confirmera. J'ai toujours passé mes temps libres seule, ainsi qu'avec un tout petit cercle d'amis que je considère comme ma famille. Il y avait des années que je vivais à Chicago lorsque je me suis soudain rendu compte que je pouvais compter sur les doigts d'une seule main – avec quelques doigts en trop – le nombre de fois où j'avais rendu visite à des amis, j'avais donné rendez-vous à quelqu'un au restaurant ou j'étais sortie pour le simple plaisir de le faire.

Je vivais en appartement depuis que j'avais quitté la maison de mon père. J'habitais des logements où je prenais rarement le temps de faire connaissance avec mon voisin ou ma voisine d'en face, encore moins qui que ce soit d'autre vivant à mon étage. *On est tous trop pris*, me disais-je. En 2004, peu après avoir fait cette prise de conscience, j'ai cependant emménagé dans une maison – pas un appartement, mais une maison – en Californie, et un tout autre monde s'est ouvert à moi. Après avoir passé des années à être très en vue, à m'entretenir avec certaines des personnes les plus fascinantes au monde, j'ai fini par devenir sociable. Pour la première fois de ma vie d'adulte, j'ai eu le sentiment d'appartenir à une collectivité. Peu après mon arrivée, tandis que je poussais mon panier dans le rayon des céréales chez Von's, une inconnue m'a arrêtée pour me dire : « Soyez la bienvenue dans le quartier. Nous nous plaisons tous ici, et j'espère que ce sera aussi votre cas. » Elle me l'a dit avec une telle sincérité que j'en ai eu envie de pleurer.

À l'instant même, j'ai pris consciemment la décision de ne plus me murer dans ma vie comme je l'avais fait pendant tant d'années en ville, me fermant à la possibilité même de me créer un nouveau cercle d'amis. Je vis maintenant dans un quartier où tout le monde me connait et je connais tout le monde.

Au début, Joe et Judy m'ont invitée chez eux, juste à côté, pour manger une pizza que Joe avait faite et m'ont dit qu'elle serait prête dans une heure. Je n'ai hésité qu'un court instant. J'ai chaussé mes tongs, et je me suis rendue chez mes voisins en jogging et sans me maquiller. J'ai fini par y passer tout l'après-midi à parler de tout et de rien. Sous le toit d'étrangers, je me suis découvert des points en commun avec eux. Je me retrouvais en territoire inconnu; c'était presque une aventure pour moi.

Depuis lors, j'ai pris le thé avec les Abercrombies, qui vivent à trois maisons de chez moi. J'ai participé à un barbecue dans le jardin de Bob et Marlene… à une fête autour de la piscine chez Barry et Jelinda… à une tournée de martinis à la pastèque chez Julie… à une rencontre dans la roseraie de Sally. J'ai pris part à un repas formel chez Annette et Harold, où le couvert était trop élaboré pour que je sache quoi en faire exactement, ainsi qu'à un concours de cuisson de côtes levées (que je méritais de gagner, mais que je n'ai pas remporté) chez Margo. J'ai contemplé le coucher du soleil et j'ai mangé des doliques à œil noir chez les Nicholson, sans compter que j'ai participé à un véritable festin sous les étoiles avec cinquante voisins chez les Reitman. Je connaissais tous les convives par leur nom, sauf deux. Alors, oui, je suis devenue *trèsssss* sociable.

C'est d'ailleurs pour cette raison que ma vie a maintenant pris une nouvelle dimension inattendue. Je croyais que j'avais fini de me faire des amis. À mon grand étonnement, par contre, je me suis découvert le désir de sortir, de rire, de me lier avec des gens et d'inclure d'autres personnes dans mon cercle d'amis. Cela a eu pour effet de donner un nouveau sens à ma vie, de me procurer un sentiment de collectivité qui me manquait sans même que je le sache.

Ce dont je suis certaine, c'est que tout se produit pour une raison – et que l'inconnue qui m'a abordée si sincèrement à l'épicerie a suscité une pensée en moi : la possibilité que je fasse de mon nouveau quartier un vrai foyer et non uniquement un endroit où vivre. J'ai toujours su qu'il valait mieux partager sa vie. Je sais toutefois maintenant qu'elle devient encore meilleure lorsque l'on élargit son cercle.

*R*egardons les choses en face. L'amour est un sujet que l'on a traité et maltraité, banalisé et dramatisé, au point d'en créer un délire collectif au sujet de ce qu'il est et n'est pas. Nous sommes incapables de le voir pour la plupart parce que nous entretenons nos propres idées préconçues relativement à ce qu'il est (il est censé nous séduire et nous pâmer) et à la forme qu'il devrait prendre (un être grand, mince, plein d'esprit et charmant). Or, si l'amour ne se présente pas à nous revêtu d'un fantasme personnel, nous ne le reconnaissons pas.

Voici toutefois ce dont je suis certaine : l'amour nous entoure. Il est possible d'aimer et d'être aimé, peu importe où l'on se trouve. L'amour existe sous toutes les formes. Il m'arrive parfois de me promener dans mon jardin avant et de sentir tous mes arbres vibrer d'amour, tout simplement. Un amour toujours à notre portée.

J'ai vu tant de femmes (y compris moi-même) se laisser méduser par l'idée d'une idylle, se croyant incomplètes si elles ne trouvent personne pour combler leur vie. En y réfléchissant bien, n'est-ce pas là une notion ridicule ? À vous seule, vous formez une personne entière. Et si vous vous sentez incomplète, vous seule devez remplir d'amour tous les espaces vides et brisés en vous. Ralph Waldo Emerson a d'ailleurs écrit à ce sujet : « Rien ne peut vous procurer la paix, sinon vous-même. »

Je n'oublierai jamais la fois où je vidais un tiroir et je suis tombée sur douze pages qui m'ont arrêtée net. C'était une lettre *d'amourrrrr* que j'avais écrite, mais jamais envoyée (merci, mon Dieu) à un gars que je fréquentais. J'avais vingt-neuf ans à l'époque, j'étais aux abois et cet homme m'obsédait. Je ne me reconnaissais pas dans ces douze pages tellement ses plaintes et ses soupirs étaient pathétiques. Et même si j'ai conservé mes journaux intimes depuis l'âge de quinze ans, j'ai célébré ma propre cérémonie d'incinération de ce présumé hymne à ce que je croyais être de l'amour. Je ne voulais garder aucune trace écrite attestant que j'avais déjà été aussi pitoyable et aussi peu en harmonie avec moi-même.

J'ai vu tant de femmes s'abandonner à des hommes qui se moquaient éperdument d'elles. J'en ai vu tellement se contenter des miettes. Je sais toutefois maintenant que la relation bâtie sur le véritable amour a *bon gout*. Elle devrait nous procurer de la joie – pas de temps à autre, mais la plupart du temps. Elle ne devrait jamais exiger que nous perdions notre voix, notre respect de soi ou notre dignité. Et que nous ayons vingt-cinq ou soixante-cinq ans, elle devrait impliquer que nous mettions en jeu tout ce que nous sommes – et que nous repartions plus riches encore.

L'amour romantique n'est pas la seule forme d'amour qui en vaut la peine. J'ai rencontré tant de gens qui désirent ardemment aimer une personne, se faire sortir de leur quotidien et s'envoler dans un bonheur romantique, lorsqu'ils sont entourés d'enfants, de voisins, d'amis et d'inconnus désirant eux aussi entrer en relation avec quelqu'un. Regardez autour de vous et remarquez tous ces gens – les occasions favorables sont partout.

Cependant, s'il vous est pénible d'ouvrir votre cœur à l'amour avec un grand A, commencez en première vitesse : usez de compassion et, avant longtemps, vous vous sentirez en train de passer à quelque chose de plus profond. Sous peu, vous serez en mesure d'offrir aux autres les bénédictions de la compréhension, de l'empathie, de la tendresse et – ce dont je suis certaine – de l'amour.

En *période de crise,* j'ai toujours admiré la façon dont les gens viennent en aide aux autres par leurs paroles d'encouragement. J'ai traversé des moments où la vie m'a asséné des coups terribles – comme c'est notre cas à tous –, mais c'est la grâce et l'amour de mes amis qui m'ont soutenue. Des amis qui me demandaient : « Y a-t-il quelque chose que je puisse faire ? » sans même savoir qu'ils l'avaient déjà fait simplement en me posant la question. Lorsque j'étais dans le creux de la vague, des gens que je connaissais bien et d'autres que je n'avais jamais même rencontrés m'ont bâti un pont de soutien.

Je n'oublierai jamais le jour où je venais de vivre un revers particulièrement pénible il y a quelques années et mon ami BeBe Winans est passé par chez moi à l'improviste. « Il y a quelque chose que je suis venu te dire », m'a-t-il annoncé. Et il s'est mis à chanter le cantique qu'il sait être mon préféré : « Oui, prends tout, Seigneur ! Entre tes mains j'abandonne tout avec bonheur. »

Je l'ai écouté en silence, assise avec les yeux fermés, en m'ouvrant à ce cadeau d'amour et de chanson. Lorsqu'il a eu terminé, j'ai senti que toute ma tension était tombée. J'étais heureuse simplement d'exister. Et pour la première fois en plusieurs semaines, j'ai gouté à la paix profonde.

Lorsque j'ai ouvert les yeux et que j'ai séché mes larmes, j'ai pu constater que BeBe rayonnait de bonheur. Il a commencé à rire de son *ha, ha, haaa* habituel et m'a serrée très fort dans ses bras. « Ma fille, m'a-t-il dit, je suis juste venu te rappeler que tu n'es pas obligée de porter ce fardeau toute seule. »

Que les gens se soucient de notre état lorsque les choses ne vont pas très bien, c'est ça l'amour. Je me sens bénie de le savoir avec certitude.

J*e croyais en savoir long* au sujet de l'amitié jusqu'au moment où j'ai passé onze jours à parcourir le pays avec Gayle King à bord d'une Chevy Impala. Nous sommes étroitement liées depuis le début de la vingtaine. Nous nous sommes aidées mutuellement à traverser des périodes difficiles, nous sommes allées en vacances ensemble et nous avons travaillé conjointement à ma revue. Pourtant, nous devions encore découvrir de nouvelles choses au sujet de l'une comme de l'autre.

Le jour des morts au champ d'honneur 2006, nous nous sommes mises en route pour « visiter les États-Unis en Chevrolet ». Je me suis toujours dit que l'idée était charmante. Lorsque nous sommes sorties de mon entrée de garage en Californie, nous chantions à pleins poumons, avec vibrato, en nous amusant comme des enfants. Trois jours plus tard, dans les environs de Holbrook, en Arizona, nous en étions à fredonner. Et rendues à Lamar, au Colorado, cinq jours après notre départ, nous avions complètement cessé de chanter.

Le voyage était éreintant. Chaque jour, six, puis huit, et ensuite dix heures de route sans rien à voir d'un côté ou de l'autre. Lorsque Gayle était au volant, elle insistait pour que la musique joue en permanence; j'aspirais au silence. « Pour me retrouver seule avec mes pensées » est devenu la blague récurrente. Tandis qu'elle chantait à tue-tête, je me suis rendu compte qu'il n'y avait aucune chanson qu'elle ne connaissait pas. (Elle disait de presque chacune qu'il s'agissait de sa préférée.) C'était aussi éprouvant pour moi que le silence l'était pour elle lorsque j'étais derrière le volant. J'ai appris la patience. Et lorsque ma patience s'est usée, je me suis acheté des bouchons. Chaque soir, nous logions dans un hôtel différent. Nous étions épuisées, mais encore capables de rire de nous-mêmes. Nous nous moquions de mes angoisses relatives aux jonctions, à l'autoroute panaméricaine et au dépassement. Oh… et de celles relatives aux viaducs et aux ponts.

Bien entendu, Gayle vous dira que je ne suis pas une excellente conductrice. Elle est elle-même très habile au volant, négociant aisément les courbes de l'autoroute à péage de la Pennsylvanie, qui menait à l'État de New York. Il n'y a eu qu'un seul contretemps : lorsque nous sommes arrivées en Pennsylvanie, elle avait gardé ses lentilles de contact trop longtemps et ses yeux étaient fatigués. Nous nous sommes approchées du pont George-Washington, soulagées de mettre au rancart notre régime à base de grignotines au fromage et de couennes de porc achetées dans des stations d'essence. La nuit était sur le point de tomber. Gayle m'a dit : « Je regrette vraiment d'avoir à te le dire, mais je ne vois plus. »

« Qu'est-ce que tu veux dire par là ? » lui ai-je demandé, en m'efforçant de garder mon sang-froid.

« Les phares ont des auréoles. Ils en ont pour toi ? »

« Heu… non, ils n'en ont pas. *Es-tu capable de voir les lignes sur la route ?* » lui criais-je maintenant, en m'imaginant le gros titre : DES AMIES TERMINENT LEUR VOYAGE DANS UN ACCIDENT DE VOITURE SUR LE PONT GEORGE-WASHINGTON. Il n'y avait nulle part où se ranger sur le côté, et les voitures nous dépassaient à vive allure.

« Je connais très bien ce pont, m'a-t-elle dit. C'est ce qui nous sauve. Et j'ai un plan d'action. Quand on arrivera au poste de péage, je vais me ranger sur le côté, je vais enlever mes lentilles et je vais mettre mes lunettes. »

Le poste de péage était encore loin. « Qu'est-ce que je peux faire ? As-tu besoin que je tienne le volant pour toi ? » lui ai-je demandé, au bord de la panique.

« Non, je vais longer les lignes blanches. Peux-tu m'enlever mes lentilles et me mettre mes lunettes ? » m'a-t-elle demandé à la blague. Du moins, je l'ai cru.

« Ce serait dangereux et impossible », lui ai-je répondu.

« Alors, augmente la ventilation ; je suis en nage », m'a-t-elle répliqué.

Nous avons transpiré abondamment toutes les deux jusqu'au poste de péage – puis nous sommes entrées dans l'État de New York saines et sauves. L'équipe qui nous suivait a fait faire des t-shirts sur lesquels on pouvait lire : I SURVIVED THE ROAD TRIP (J'AI SURVÉCU AU TRAJET EN VOITURE).

J'ai la certitude que, si vous parvenez à survivre à onze jours de confinement avec un ami dans un endroit restreint et que vous sortez de cette aventure en riant, c'est que votre amitié est réelle.

L'*entrée dans ma vie de Sadie*, ma chienne bienaimée, est mémorable. Dans un refuge pour animaux de Chicago, elle s'est pressée contre mon épaule, m'a léché l'oreille et m'a murmuré : « Je t'en prie, prends-moi chez toi. » Je pressentais qu'elle me demandait de lui accorder une nouvelle vie auprès de moi.

Je me suis sentie instantanément liée à elle. Par contre, juste pour m'assurer que je ne me laissais pas prendre au jeu d'un amour de chiot attendrissant comme ce n'était pas possible, Gayle m'a dit : « Pourquoi n'attendrais-tu pas de voir comment tu vas te sentir demain par rapport à tout ça ? » Si bien que j'ai décidé d'attendre vingt-quatre heures. Le lendemain, la ville de Chicago était paralysée par un blizzard terrible. *Ce n'est pas la bonne journée pour ramener un chiot à la maison*, me suis-je dit. Surtout si l'on vit en hauteur. Il est difficile de dresser un chien à être propre lorsque l'on habite le soixante-dix-septième étage, même lorsque le soleil brille – les chiots ont besoin d'aller *souvent* dehors lorsqu'ils apprennent à reconnaitre quand c'est le temps (et ce n'est pas le temps) de faire leurs besoins.

Reste que Stedman et moi avons mis nos vêtements d'hiver et avons traversé la ville au volant de notre véhicule à quatre roues motrices. Juste pour « la voir encore une fois », lui ai-je promis. Mademoiselle Sadie, l'avorton de la portée, a alors parlé à mon cœur. J'aime énormément transformer un être défavorisé en gagnant.

Une heure plus tard, nous étions chez Petco, en train d'acheter un panier et de petites couches, un collier et une laisse, de la nourriture pour chiots et des jouets.

Au début, le panier était à côté du lit. Et Sadie pleurait quand même. Nous avons ensuite monté le panier sur le lit, juste au centre, pour qu'elle me voie bien – je tenais à faire tout mon possible pour l'aider à éviter les angoisses associées à sa première nuit séparée de sa portée. Elle s'est mise à gémir toutefois encore plus. Puis elle a commencé à glapir carrément. Je l'ai donc sortie du panier et je l'ai laissé dormir sur mon oreiller. Je sais que ce n'est pas la bonne façon de procéder pour dresser un chien. Je l'ai quand même fait – au point où Sadie en est venue à croire que j'étais *moi-même* de sa portée. Lorsque je me suis réveillée le matin venu, elle s'était glissée jusque sur mon épaule, la position qu'elle trouvait la plus confortable pour dormir.

Cinq jours après l'avoir ramenée à la maison, j'ai perdu tout sens pratique et je me suis laissé convaincre d'adopter son frère Ivan. Pendant vingt-quatre heures, la vie a été formidable : Ivan servait de compagnon de jeu à Sadie, ce qui m'évitait d'avoir à assumer cette tâche. (C'était agréable d'être soulagée des jeux consistant à lui faire ramener un objet et des lapins en caoutchouc souple.)

Ivan avait passé toute la journée à s'ébattre sous le soleil avec Sadie et mes deux Goldens rétrievers, Luke et Layla. Puis il a refusé de manger. Et ensuite, la diarrhée a commencé, suivie de vomissements et à nouveau de diarrhée. C'était un samedi. Le lundi soir, nous savions qu'il avait contracté la redoutable entérite à parvovirus.

J'avais vécu ce problème treize ans plus tôt, avec mon cocker marron. Le parvovirus l'avait presque tué. Salomon était resté à l'hôpital vétérinaire pendant vingt jours. Il avait plus d'un an lorsqu'il l'a contractée. Ivan n'avait que onze semaines. Son jeune système immunitaire n'était pas assez fort pour y survivre. Quatre jours après que nous avons emmené Ivan à la clinique d'urgence, il est mort.

Ce matin-là, Sadie a refusé de manger. Même si ses résultats d'examen s'étaient avérés négatifs, je savais qu'elle avait contracté l'entérite à parvovirus elle aussi.

C'est alors que s'est amorcé tout le branlebas de combat pour la sauver. Les transfusions sanguines. Les antibiotiques. Les probiotiques. Et les visites quotidiennes. Je souhaite à tous les citoyens de ce pays d'obtenir la même qualité de soins de santé et de traitements que cette petite chienne a reçue. Les quatre premiers jours, les choses se sont envenimées pour Sadie. C'est alors que j'ai dit au vétérinaire : « Je suis disposée à la laisser aller. Elle ne devrait pas avoir à se battre autant. »

Reste qu'elle s'est accrochée à la vie. Le lendemain, sa leucocytémie a commencé à s'améliorer et deux jours plus tard, elle mangeait avec bonheur de petits morceaux de poulet.

Peu après, Sadie est rentrée à la maison, amaigrie et faible, mais prête à recommencer à vivre. Elle a fini par se remettre pleinement.

Durant le temps qu'elle et Ivan ont passé à l'hôpital, je me suis inquiétée, je me suis agitée et mon sommeil a été perturbé – comme s'il s'était agi d'un membre de ma famille. Voilà d'ailleurs ce que je sais que les animaux de compagnie représentent pour nous : une affection inconditionnelle. Et réciproque.

L'amour d'un chiot. Il n'y a rien de semblable.

Lorsque vous vous faites un devoir toute votre vie d'aimer les autres, il n'y a jamais de dernier chapitre, car l'histoire se poursuit. Vous prêtez votre lumière à quelqu'un d'autre, qui éclaire une autre personne et une autre, et encore une autre. Et j'ai la certitude qu'en dernière analyse – lorsque les listes de choses à faire ne tiendront plus, que la frénésie sera terminée, que notre boite de courriels sera vide –, la seule chose qui aura encore de la valeur dans notre vie sera de savoir si nous avons aimé d'autres personnes et si d'autres personnes nous ont aimés.

La gratitude

———— ❧ ————

« Si la seule prière que vous faisiez de toute votre vie
se résumait à dire merci, elle serait suffisante. »
—Maitre Eckhart

I *l y a des années que je prône* le pouvoir de la reconnaissance et le plaisir qu'elle procure. J'ai tenu un journal de gratitude pendant toute une décennie sans jamais faillir à ma tâche, en exhortant tout mon entourage à en faire autant. Puis mon emploi du temps s'est rempli. J'étais dépassée par tout ce que j'avais à faire. J'ouvrais encore mon journal certains soirs, mais mon rituel consistant à noter cinq choses pour lesquelles j'étais reconnaissante chaque jour a commencé à m'échapper.

Voici ce qui a suscité ma gratitude le 12 octobre 1996 :

1.　Une course autour de Fisher Island, en Floride, en profitant d'une douce brise rafraichissante.

2.　J'ai mangé du melon bien froid, assise sur un banc au soleil.

3. Une longue conversation hilarante avec Gayle au sujet de son rendez-vous arrangé avec M. Patate.

4. Un sorbet en cornet, si savoureux que je m'en suis léché les doigts.

5. Maya Angelou m'a téléphoné pour me lire un nouveau poème.

Il y a quelques années, lorsque je suis tombée sur cette entrée de mon journal, je me suis demandé pourquoi les moments tout simples ne me procuraient plus de joie. Depuis 1996, j'avais accumulé plus de richesses, plus de responsabilités, plus de biens matériels; tout ce que j'avais semblait s'être accru de manière exponentielle – sauf mon bonheur. Comment se pouvait-il qu'avec toutes mes possibilités et toutes mes opportunités je sois devenue une de ces personnes qui n'a jamais le temps de savourer les délices de la vie? J'étais poussée dans tant de directions à la fois que je ne ressentais plus grand-chose. J'étais trop occupée à faire, à faire et à faire encore.

Il faut bien dire toutefois que j'étais également occupée en 1996. C'est seulement que je donnais alors la priorité à la gratitude. À l'époque, je passais la journée à chercher des raisons d'être reconnaissante, et il s'en présentait invariablement une.

Il nous arrive parfois d'être concentrés sur la difficulté de notre ascension au point de perdre de vue la nécessité de nous montrer reconnaissants pour le simple fait d'avoir une montagne à escalader.

Ma vie est encore un véritable tourbillon. Aujourd'hui, par contre, je suis sans cesse reconnaissante d'avoir l'énergie nécessaire pour continuer d'aller de l'avant. Et j'ai repris la tenue d'un journal (électronique, cette fois-ci). Chaque fois que je vis un instant gratifiant, je le couche par écrit. J'ai la certitude que d'être reconnaissants pour tout ce qui se présente à nous dans la vie a pour effet de changer notre monde du tout au tout. Vous irradiez et vous vous attirez plus de bonnes choses lorsque vous êtes conscient de tout ce que vous avez au lieu de vous concentrer sur ce qui vous fait défaut.

Ce dont je suis certaine : si vous prenez le temps de vous montrer un tant soit peu reconnaissant chaque jour, vous vous étonnerez du fruit de vos efforts.

D is merci ! » Il y a de nombreuses années, cette parole de
Maya Angelou a transformé ma vie. Je lui parlais au téléphone, assise dans ma salle de bains avec la porte fermée et le
couvercle de toilette abaissé, en pleurant à chaudes larmes au
point d'en être incohérente.

« Arrête ça ! m'a-t-elle réprimandée. Arrête ça tout de suite et
dis merci ! »

« Mais tu… tu ne comprends pas », lui ai-je dit en sanglotant.
À ce jour, je ne parviens toujours pas à me rappeler ce qui m'avait
tant fait perdre la boule, ce qui prouve bien d'ailleurs la perti-
nence du conseil de Maya.

« Au contraire, je comprends, m'a-t-elle détrompée. Je veux
te l'entendre dire immédiatement. À voix haute. "Merci." »

Je l'ai répété timidement. « Merci. » Puis j'ai pleuré encore
un peu : « Mais pour quelle raison est-ce que je dis merci ? »

« Tu dis merci, m'a répondu Maya, parce que ta foi est
tellement forte que tu ne doutes pas que, quel que soit ton problème, tu parviendras à le surmonter. Tu dis merci parce que tu
sais que, même dans l'œil de la tempête, Dieu a mis un arc-en-
ciel parmi les nuages. Tu dis merci parce que tu sais qu'aucun
problème ne saurait se mesurer au Créateur de toutes choses. Dis
merci ! »

Alors je l'ai fait, et je le fais encore.

La gratitude ne nous vient pas toujours facilement, mais c'est précisément lorsque nous nous sentons le moins reconnaissants que nous avons le plus besoin de ce que la gratitude peut nous procurer : mettre les choses en perspective. La gratitude a le pouvoir de transformer n'importe quelle situation. Elle modifie nos vibrations, nous faisant passer de l'énergie négative à l'énergie positive. Il s'agit du moyen le plus rapide, le plus facile et le plus puissant pour apporter un changement à notre vie – j'en ai la certitude.

Voilà en quoi consiste le don de la gratitude. Pour la ressentir, l'égo doit jouer un rôle secondaire, afin qu'une plus grande compassion et qu'une meilleure compréhension prennent sa place. Au lieu de céder à la contrariété, on choisit d'apprécier les choses à leur juste valeur. Or, plus on se montre reconnaissant, plus on a de raisons de l'être.

Maya Angelou disait tellement vrai ! Peu importe ce que vous traversez, c'est précisément ce que vous ferez : vous le traverserez. Cela passera. Alors, dites merci à l'instant même. Puisque vous savez que l'arc-en-ciel arrive.

Tout le temps et toute l'énergie que j'ai consacrés à réfléchir à ce que sera mon prochain repas sont incalculables : quoi manger, ce que je viens de manger, combien de calories ou de grammes de glucides mon repas contenait, combien d'exercice je devrai faire pour les bruler, si je ne faisais pas mes exercices, combien de temps faudra-t-il avant qu'elles se transforment en kilos supplémentaires, et ainsi de suite. La nourriture a occupé une grande place dans mes pensées au fil des ans.

J'ai encore le chèque que j'ai libellé à l'ordre de mon premier médecin spécialisé en régimes amaigrissants – Baltimore, 1977. J'avais vingt-trois ans, je pesais soixante-sept kilos, je portais des vêtements de taille moyenne et je me croyais grosse. Le médecin m'a fait suivre un régime amaigrissant de mille-deux-cents calories, et j'ai perdu quatre kilos en moins de deux semaines. Deux mois plus tard, j'en avais repris plus de cinq. C'est ainsi que s'est amorcé le cycle du mécontentement, le combat que j'ai mené dans mon corps. Contre moi-même.

Je me suis jointe à la brigade des régimes amaigrissants – m'inscrivant aux régimes Beverly, Atkins, Scarsdale, soupe au chou, et même à celui à la banane, aux hotdogs et aux œufs. (Vous croyez que je fais des blagues. Et j'aimerais que ce soit le cas.) Ce que j'ignorais, c'est qu'avec chaque diète, j'affamais mes muscles, je ralentissais mon métabolisme et je m'arrangeais pour reprendre encore plus de poids. Vers 1995, après avoir passé près de deux décennies à prendre et à perdre constamment du poids, j'ai fini par comprendre que la gratitude envers mon corps, peu importe la forme qu'il avait, constituait le moyen de m'aimer davantage.

Par contre, même si je saisissais intellectuellement ce concept, il ne m'était pas facile de le mettre en pratique. Ce n'est qu'environ six ans plus tard, au terme de six mois de palpitations inexplicables, que la réalité a fini par m'apparaitre clairement. Le 19 décembre 2001, j'ai écrit dans mon journal : « Une chose est certaine – le fait d'avoir des palpitations durant la nuit me rend consciente du bonheur que j'éprouve à me réveiller chaque matin, plus reconnaissante pour chacune de mes journées. » J'ai cessé de tenir mon cœur pour acquis et je me suis mise à le remercier de chacun des battements qu'il m'avait donnés au cours de ma vie. Je me suis émerveillée devant cette réalité : en quarante-sept années de vie, je n'avais jamais réfléchi consciemment à ce que mon cœur fait, c'est-à-dire oxygéner mes poumons, mon foie, mon pancréas, et même mon cerveau, un battement à la fois.

Durant tant d'années, j'avais négligé mon cœur en lui refusant le soutien dont il avait besoin. En mangeant avec excès. En le stressant avec exagération. En lui en demandant trop. Il pouvait bien ne plus s'arrêter de battre à toute vitesse lorsque je me couchais le soir ! Je crois que tout ce qui nous arrive dans la vie comporte une signification, que chaque expérience de vie renferme un message, si nous sommes disposés à l'entendre. Alors, que voulait me dire mon cœur lorsqu'il s'emballait ? Je l'ignorais encore. Reste que le simple fait de me poser la question m'a amenée à regarder mon corps et à constater que j'avais négligé de l'honorer. Et je me suis rendu compte que toutes les diètes que j'avais pu essayer tenaient au fait que je voulais entrer dans quelque chose – ou simplement me faire accepter. Je n'avais jamais accordé la priorité à mon cœur, qui était pourtant la force de vivre de mon corps.

Je me suis assise dans mon lit par une matinée froide et ensoleillée et je me suis promis d'aimer mon cœur. De le traiter avec respect. De le nourrir et d'en prendre soin. De le faire travailler, et de le laisser ensuite se reposer. Puis un soir, en sortant de la baignoire, je me suis regardée dans le miroir pleine longueur. Pour la première fois, je ne me suis pas abandonnée à mon autocritique habituelle. J'ai éprouvé un sentiment chaleureux de gratitude pour ce que j'y voyais. Les cheveux tressés, pas une seule trace de maquillage, le visage propre. Les yeux brillants, vivants. Les épaules et le cou forts et fermes. J'étais reconnaissante pour le corps dans lequel je vivais.

Après m'être évaluée de la tête aux pieds et avoir reconnu qu'une grande amélioration était encore possible, je n'ai plus rien détesté de mon corps, pas même la cellulite. Je me suis dit : *Voilà le corps que l'on t'a donné – aime ce que tu as reçu.* J'ai alors commencé à aimer véritablement le visage avec lequel j'étais née ; les rides que j'avais sous les yeux à deux ans s'étaient approfondies, mais c'étaient mes rides. Le nez large que j'essayais de relever lorsque j'avais huit ans en dormant avec une pince à linge et une boule de coton de chaque côté, c'était le nez avec lequel j'avais grandi. Les lèvres pulpeuses que j'avais l'habitude d'amincir en souriant sont celles qui me servent à parler à des millions de gens chaque jour – il est nécessaire que mes lèvres soient charnues.

À cet instant-là, me tenant devant le miroir, j'ai vécu ma propre « révélation spirituelle ou une renaissance fondamentale de quelque amour » au sujet de laquelle Carolyn M. Rodgers écrit dans un de mes poèmes préférés : « Some Me of Beauty » (La beauté en moi).

Ce dont je suis certaine, c'est qu'il est inutile de vous battre contre votre corps alors qu'il vous est possible de faire la paix avec lui, par amour et par reconnaissance pour lui.

J e vis dans l'espace de la reconnaissance – et pour cela, j'ai reçu des millions de récompenses. J'ai commencé à dire merci pour de petites choses, et plus ma gratitude grandissait, plus mon abondance augmentait. Cela s'explique – assurément – par le fait que ce sur quoi on se concentre prend forcément de l'expansion. Si vous vous concentrez sur ce qu'il y a de bon dans votre vie, vous en créerez davantage.

Nous avons tous déjà entendu dire qu'il y a plus de joie à donner qu'à recevoir. Eh bien, je sais avec certitude que c'est également beaucoup plus amusant. Rien ne me rend plus heureuse qu'un cadeau bien donné et joyeusement reçu.

Je peux dire en toute honnêteté que chaque cadeau que j'ai jamais fait m'a procuré au moins autant de bonheur qu'à la personne à qui je l'ai fait. Je donne comme j'en sens le besoin. Tout au long de l'année, il peut s'agir d'envoyer par la poste un mot écrit à la main à quelqu'un qui ne s'y attend pas. Ou encore de poster une nouvelle lotion formidable que je viens de découvrir, ou de remettre un recueil de poèmes orné d'une jolie boucle. Peu importe de quoi il s'agit; ce qui compte, c'est la partie de soi-même que l'on investit dans le cadeau, si bien qu'une fois le cadeau parti, l'esprit dans lequel on l'a fait subsiste.

Un matin, mon amie Geneviève a laissé sur le pas de ma porte avant un bol blanc rempli de citrons d'un jaune vif, avec leurs tiges et leurs feuilles, qu'elle venait de cueillir dans son jardin et qu'elle avait liés avec un ruban vert. Elle avait joint à ce présent un mot qui disait : « Bonjour. » La présentation était si belle dans sa simplicité que, bien longtemps après que les citrons ont eu flétri, je ressentais encore l'esprit de son cadeau chaque fois que je passais devant l'endroit où j'avais installé le bol. Je garde maintenant un bol rempli de citrons pour me rappeler ce « Bonjour ».

Vous vous souviendrez peut-être de la fois où j'ai fait don de quelques voitures durant mon émission. C'étaient des Pontiac G6. Je ne m'étais jamais autant amusée à la télévision. Par contre, avant de procéder à ce grand cadeau, je me suis assise pour méditer dans ma penderie, à m'efforcer de rester dans l'instant présent et de ne pas m'inquiéter de la grande surprise à venir. C'était important pour moi de remplir l'auditoire de gens qui avaient réellement besoin d'une nouvelle voiture, pour que tout l'enthousiasme prenne son sens. Je tenais à ce que le cadeau porte sur l'importance de partager ce que l'on a. J'ai prié en conséquence, assise dans l'obscurité parmi mes chaussures et mes sacs à main. Puis je suis descendue dans le studio, et mes prières ont été exaucées.

J e suis réellement une fille de la campagne, qui a grandi en région
rurale du Mississippi – où il fallait le cultiver ou l'élever (comme
les cochons et les poulets), si on voulait le manger. J'ai tenu pour
acquise la routine consistant à aider ma grand-mère à arracher les
feuilles de navet du potager, puis à m'assoir sous le porche pour
équeuter des haricots et écosser des pois.

Aujourd'hui, le jour de la semaine que je préfère le printemps,
l'été et l'automne, c'est celui de la récolte. Nous allons dans le
potager pour y cueillir des artichauts, des épinards, des courges,
des haricots verts, du maïs, des tomates et de la laitue, ainsi que
des paniers remplis de fines herbes, d'ognons et d'ail frais. Toute
cette abondance me fait battre le cœur à pleine vitesse !

Chaque fois, je m'émerveille de ce qu'en semant si peu, on puisse en récolter autant. En fait, mon problème en est un de volume. Je
ne peux pas tout manger, mais je refuse de jeter quoi que ce soit que
j'ai vu pousser; mettre aux ordures de la nourriture que j'ai cultivée
à partir d'une graine me fait l'effet de jeter un cadeau. Je partage donc
volontiers avec mes voisins, et il en pousse encore toujours plus.

Toute bonne nourriture provient de la terre. Et que vous vous
procuriez ces aliments dans un marché fermier, à l'épicerie du
quartier ou dans votre propre potager, il y a une chose dont je suis
certaine : la joie pure que procure le fait de bien manger vaut la
peine d'être savourée.

J'ai un jour tranché une pêche fraiche qui était si sucrée, si
succulente, si divinement fruitée qu'en la dégustant, je me suis dit :

Il n'existe aucun mot pour décrire correctement cette pêche – il faut la gouter pour comprendre la véritable définition de la succulence. Je me suis fermé les yeux, afin de mieux en apprécier la saveur. Comme cela ne suffisait pas, j'ai gardé les deux dernières bouchées pour les partager avec Stedman, pour voir s'il était d'accord pour dire qu'il s'agissait de la meilleure pêche à avoir existé. Il en a pris une première bouchée, et s'est exprimé à son sujet : «Mmm, mmm, mmm… cette pêche me rappelle mon enfance.» Du coup, cette petite chose est devenue plus grande, comme c'est le cas de toutes les choses lorsqu'elles sont partagées dans un esprit de gratitude.

J e me rappelle encore la première fois que j'ai refusé de me contenter de donner uniquement à ma famille et à mes amis, et que j'ai fait quelque chose d'important pour une personne qui m'était inconnue. J'étais journaliste à Baltimore et j'avais écrit un article au sujet d'une jeune mère et de ses enfants, qui traversaient de durs moments. Je n'oublierai jamais être retournée chez eux pour emmener toute la famille au centre commercial y acheter des manteaux d'hiver. Ils en ont éprouvé énormément de reconnaissance, et j'ai découvert ainsi le sentiment merveilleux que l'on ressent en faisant quelque chose d'inattendu pour une personne dans le besoin.

Depuis ce jour de la fin des années 1970, j'ai été bénie d'être en mesure d'offrir des cadeaux vraiment extraordinaires – j'en ai faits de toutes les sortes, allant des draps de cachemire aux études universitaires. J'ai donné des maisons en cadeau. Des voitures. Des voyages autour du monde. Les services d'une bonne d'enfants formidable. Par contre, le meilleur cadeau que l'on puisse faire, selon moi, c'est soi-même.

Au déjeuner donné en l'honneur de mon cinquantième anniversaire, chacune des femmes présentes m'avait écrit un mot pour me dire ce que représentait notre amitié pour elle. Tous les mots ont été mis dans une boite d'argent, qui occupe encore un endroit de choix sur ma table de nuit. Les jours où je ne me sens pas particulièrement joyeuse, je sors un mot et je le laisse me remonter le moral.

Environ un an plus tard, j'ai tenu un weekend de festivités en l'honneur de dix-huit femmes ayant bâti des ponts et renversé des obstacles, ainsi que quelques dizaines de jeunes femmes pour qui elles avaient pavé la voie. J'ai donné pour titre à cet évènement : le Bal des légendes. Or, après qu'il s'est terminé, j'ai reçu des lettres de remerciement de toutes les « jeunettes » y ayant assisté. Les lettres étaient calligraphiées et reliées en livre. Elles constituent un de mes biens les plus précieux. Elles m'ont d'ailleurs inspirée dernièrement, lorsqu'une.de mes amies a traversé une épreuve : j'ai téléphoné à toutes *ses* amies et leur ai demandé de lui écrire des mots d'amour, que j'ai fait ensuite relier en livre.

J'ai donné à quelqu'un, comme d'autres m'avaient donné. Et j'ai l'assurance que nous sommes ici-bas précisément pour cette raison : faire en sorte que les dons se poursuivent.

La tablée à côté de moi faisait énormément de boucan, en célébrant une occasion spéciale – cinq serveurs chantaient «Happy birrrrthday, dear Marilyn…» (Joyeux anniversaire, chère Marilyn…). Notre côté de la salle a applaudi tandis que Marilyn soufflait l'unique bougie sur le petit gâteau au chocolat que l'on venait de lui présenter. Quelqu'un m'a demandé si je voulais bien prendre une photo du groupe.

«Bien sûr!» ai-je répondu, en demandant tout bonnement: «Quel âge a Marilyn?» à personne en particulier.

Toute la tablée s'est mise à rire nerveusement. Une personne m'a répondu en feignant d'être outrée: «Je n'arrive pas à croire que vous posiez la question!»

Marilyn a alors courbé la tête avec humilité et m'a répondu: «Je n'ose pas le dire.»

Sur le coup, cela m'a amusée, puis j'en ai été décontenancée. «Vous voulez une photo en l'honneur de votre anniversaire, mais vous refusez de dire votre âge?»

«Eh bien, je ne veux pas le dire à voix haute. Il y a des semaines que j'appréhende affreusement ce jour. Ça me rend malade rien que d'y penser.»

«Ça vous rend malade rien que de penser que vous avez traversé une autre année, que chaque inquiétude, chaque conflit, chaque défi, chaque délice, chaque respiration de chaque journée vous a conduite jusqu'au moment présent, et maintenant que vous y êtes parvenue, vous le célébrez – avec une seule petite bougie – et vous le niez en même temps ? »

« Je ne le nie pas, m'a-t-elle dit. Je ne veux simplement pas avoir quarante-trois ans. »

En feignant d'être horrifiée, je lui ai lancé : « Vous avez *quarante-trois* ans ? Oh ! Miséricorde ! je vois maintenant pourquoi vous vouliez que personne ne le sache ! » Tout le monde a ri nerveusement de nouveau.

J'ai pris la photo, mais je n'ai pas cessé de repenser à Marilyn et à ses amis.

J'ai également pensé à Don Miguel Ruiz, auteur de l'un de mes livres préférés : *Les Quatre Accords toltèques*. Selon lui, quatre-vingt-quinze pour cent des croyances que nous entretenons ne sont que purs mensonges, et nous souffrons parce que nous y accordons foi.

Un de ces mensonges que nous croyons, que nous mettons en pratique et que nous renforçons nous amène à estimer que vieillir équivaut à nous enlaidir. Par conséquent, nous nous jugeons nous-mêmes, et nous jugeons les autres, en nous efforçant de conserver la personne que nous étions antérieurement.

Voilà pourquoi, au fil des ans, je me suis fait un point d'honneur de demander aux femmes comment elles se sentaient en vieillissant. J'ai demandé à tout le monde, de Bo Derek à Barbra Streisand.

Ali MacGraw m'a dit : « Le message que les femmes de mon âge envoient aux femmes terrifiées de trente ou quarante ans, c'est que "c'est presque fini". Quelle foutaise ! »

Beverly Johnson a indiqué : « Pourquoi est-ce que je m'efforce de conserver un corps d'adolescente alors que je n'en suis plus une et que tout le monde le sait ? Ça a été une révélation pour moi. »

Et l'honnêteté de Cybill Shepherd s'est avérée merveilleusement éclairante : « Je redoutais terriblement qu'en vieillissant, je perde ma valeur aux yeux des gens. »

Si vous êtes suffisamment béni pour vieillir, ce qui correspond à ma perception du vieillissement (je repense souvent à tous les anges du 11 septembre qui n'en auront pas la possibilité), sachez qu'il y a une très grande sagesse à gagner auprès des gens qui célèbrent ce processus avec vivacité, vigueur et grâce.

J'ai eu de merveilleux mentors à cet égard. Maya Angelou, qui donnait encore des tournées de conférence malgré ses quatre-vingts ans bien sonnés. Quincy Jones, toujours parti dans une région lointaine du monde à créer de nouveaux projets. Sidney Poitier, qui représente la personne et ce que je veux être si j'ai la chance de vivre aussi longtemps – lui qui lit tout ce qui lui tombe sous la main, qui a même écrit son premier roman à l'âge de quatre-vingt-cinq ans, ne cessant d'améliorer ses connaissances.

Il ne fait aucun doute que nous vivons au sein d'une culture obsédée par la jeunesse qui tente continuellement de nous faire croire que, si nous ne sommes pas jeunes, radieuses et « sexys », nous sommes sans importance. Je refuse cependant d'accorder foi à cette perception faussée de la réalité. Et je ne mentirais jamais au sujet de mon âge, pas plus que je le nierais. Ce faisant, je contribuerais à propager une maladie déjà endémique dans notre société : celle qui pousse à vouloir être ce que l'on n'est pas.

Je sais avec certitude que le seul moyen de s'approprier qui et ce que l'on est consiste à embrasser la plénitude de sa vie. Je suis triste pour toute personne qui donne foi au mythe selon lequel il est possible de rester ce que l'on a été par le passé. Le chemin vers une vie meilleure ne passe pas par le déni. Il consiste à s'en approprier chaque instant et à se faire un point d'honneur de vivre dans le présent.

Vous n'êtes pas la même femme que vous étiez il y a une décennie; avec un peu de chance, vous n'êtes plus la même personne que vous étiez l'année dernière. Selon moi, le vieillissement a pour but précisément de nous faire changer. Si nous le leur permettons, nos expériences continueront de nous enseigner des choses à notre propre sujet. Je célèbre cette réalité-là. Je l'honore. Je lui voue le plus grand respect. Et je suis reconnaissante pour tous les âges que j'ai la bénédiction d'atteindre.

Je n'aurais jamais cru faire l'émission *Oprah* pendant vingt-cinq ans. Au bout de douze ans, je songeais déjà à y mettre fin. Je ne voulais pas être la fille qui restait trop longtemps à la fête. J'appréhendais que l'on se lasse de moi.

Puis j'ai joué dans le film *La Bien-aimée*, qui racontait l'histoire d'une ancienne esclave faisant l'expérience de sa nouvelle liberté. Ce rôle a transformé la perception que j'avais de mon travail. Comment osais-je même me croire, moi qui avais reçu des opportunités qui auraient été inimaginables pour mes ancêtres, assez fatiguée pour baisser les bras? Si bien que j'ai renouvelé mon contrat pour quatre années de plus. Puis deux autres.

Après vingt années d'émission, j'étais presque certaine que le temps était venu pour moi de mettre la clé sous la porte. C'est alors que j'ai reçu un courriel de Mattie Stepanek.

Mattie était un garçon de douze ans atteint d'une rare forme de dystrophie musculaire qui avait paru à mon émission pour y lire sa poésie et qui était devenu instantanément un de mes précieux amis. Nous avons souvent communiqué par courriels, et par téléphone lorsque nous en avions la possibilité. Il me faisait rire. Et parfois, il me faisait pleurer. La plupart du temps, toutefois, il me faisait me sentir plus humaine, plus présente et plus en mesure d'apprécier même les plus petites choses à leur juste valeur.

Mattie a terriblement souffert dans sa jeune vie. Hospitalisé à tout bout de champ, il ne s'est presque jamais plaint malgré tout. Lorsqu'il me parlait, je l'écoutais. Et en mai 2003, alors que j'envisageais sérieusement de mettre fin à mon émission, il a considérablement contribué à me faire changer d'avis. Voilà la lettre qu'il m'a écrite :

Chère Oprah,

Salut, c'est moi, Mattie… ton gars. J'espère rentrer à la maison vers le jour des morts au champ d'honneur et je prie pour ça. Il n'y a aucune garantie que ça m'arrive, alors je ne le dis pas à beaucoup de gens. On dirait que, chaque fois que j'essaie de rentrer chez moi, quelque chose d'autre va de travers. Les médecins sont incapables de me « réparer », mais ils sont d'accord pour que je rentre à la maison. Et ne t'inquiète pas, je ne « rentre pas chez moi pour mourir » ou rien de ce genre-là. J'y vais parce qu'ils ne peuvent rien faire de plus ici, et que si je guéris, c'est parce que je suis censé guérir, et si je ne guéris pas, alors mon message est envoyé et l'heure est venue pour moi d'aller au ciel. Personnellement, j'espère que mon message aura encore besoin de moi comme messager un peu plus longtemps, mais c'est vraiment entre les mains de Dieu. De toute façon… j'ai juste besoin de transfusions sanguines environ une fois par semaine maintenant, alors c'est mieux. Et ça a l'air étrange, mais je trouve que c'est vraiment super que j'aie du sang et des plaquettes de tant de gens. Ça me met en relation avec le monde d'une certaine façon, ce qui me rend fier.

Je sais que tu as l'intention de mettre fin à ton émission à l'occasion de son 20ᵉ anniversaire. À mon avis, tu devrais attendre à son vingt-cinquième anniversaire pour arrêter ton émission de jour. Laisse-moi t'expliquer pourquoi. Vingt-cinq a plus de sens pour moi, en partie parce que je souffre légèrement de troubles obsessionnels compulsifs et que 25 est un nombre parfait. C'est un carré parfait, qui symbolise le quart de quelque chose, et non simplement un cinquième comme le nombre 20. Aussi, quand je pense au nombre 25, surtout dans le cas d'une retraite ou d'une fin, pour une raison que j'ignore mon esprit se remplit de couleurs éclatantes et du rajeunissement de la vie. Je sais que ça semble bizarre, mais c'est vrai. Tu as déjà marqué l'Histoire de tant de façons, des façons merveilleuses et belles, pourquoi ne pas élargir l'Histoire en offrant une excellente émission qui a touché et inspiré tant de gens pendant un quart de siècle ? Je vais te laisser y réfléchir. Et, bien entendu, ce n'est que mon opinion, mais il m'arrive de ressentir les choses, et c'est le cas à ce sujet-là: Je crois que ce serait bien pour le monde et bien pour toi.

Je t'aime et tu m'aimes,

Mattie

Comme tous ceux qui me connaissent le savent, il m'arrive aussi parfois « de ressentir les choses », et quelque chose de profond en moi m'a dit de prêter attention à ce petit ange qui, à mon avis, était un messager pour notre époque.

Pour une certaine raison, il lui apparaissait clairement en 2003 que je n'étais prête ni émotionnellement ni spirituellement à mettre fin à cette phase de ma carrière.

Lorsque j'ai été enfin prête à passer au chapitre suivant, j'y suis passée sans regret – avec seulement de la gratitude. Et peu importe où est le ciel, j'ai la certitude que Mattie s'y trouve.

Chaque matin, lorsque j'ouvre les rideaux pour jeter un premier coup d'œil à la journée, peu importe à quoi elle ressemble – qu'il pleuve, qu'il y ait du brouillard, que le ciel soit nuageux ou ensoleillé –, mon cœur se gonfle de gratitude. Une autre chance s'offre à moi.

Dans les meilleurs et les pires moments, je sais avec certitude que la vie est un cadeau. Et je crois que, peu importe où nous vivons, à quoi nous ressemblons et ce que nous faisons dans la vie, ce qui compte réellement – ce qui nous fait rire et pleurer, nous attriste et nous décourage, nous ravit et nous fait nous réjouir –, c'est que nous partageons le même espace de cœur. Nous le remplissons simplement de choses différentes. En voici quinze de mes préférées :

1.   Planter des légumes dans mon potager.

2.   Faire des crêpes aux myrtilles et au citron le dimanche matin pour Stedman. Cela ne manque jamais de le ravir, comme s'il n'avait encore que sept ans.

3.   Faire une virée avec tous mes chiens sans laisse sur le gazon devant la maison.

4.   Une journée de pluie, l'air frais, un feu crépitant joyeusement dans le foyer.

5.   Cueillir des légumes dans mon potager.

6.   Un excellent livre.

7.   Lire dans mon endroit préféré partout sur la terre : sous mes chênes.

8.   Faire cuire des légumes de mon potager.

9.   Dormir jusqu'à ce que mon corps veuille se réveiller.

10. Me réveiller au son du gazouillis des oiseaux.

11. Un entrainement assez soutenu pour que tout mon corps respire.

12. Manger des légumes de mon potager.

13. M'arrêter.

14. Embrasser le silence.

15. La mise en pratique spirituelle et quotidienne de la gratitude. Chaque jour, je bénis ma vie en comptant mes bénédictions.

Les possibilités

« *Monte en flèche, nourris-toi des choses éthérées,
vois ce qui n'a jamais été vu; pars, perds-toi,
mais fais ton ascension.* »
—Edna St. Vincent Millay

C omment *puis-je exploiter* mon potentiel plus à fond ? Voilà une question que je me pose encore, surtout lorsque je contemple ce que l'avenir me réserve.

Dans tous les emplois que j'ai occupés et toutes les villes où j'ai vécu, j'ai su que l'heure était venue pour moi de passer à autre chose lorsque j'ai eu grandi autant que je le pouvais dans ce contexte. Il m'arrivait parfois d'être terrifiée de passer à autre chose, mais cette transition m'a toujours enseigné que le vrai sens du courage est d'avoir peur, puis d'aller de l'avant malgré mes genoux flageolants. Faire un geste audacieux constitue le seul moyen de progresser vers la vision par excellence que l'univers vous réserve. Si vous la laissez faire, la peur vous immobilisera entièrement. Et dès l'instant où elle vous aura capturé dans ses griffes, elle se battra pour vous empêcher de devenir la meilleure personne que vous puissiez être.

Voici ce dont je suis certaine : rien de ce que vous redoutez le plus n'a de pouvoir, c'est votre peur qui détient le pouvoir. La chose en soi ne peut vous atteindre, mais la peur que vous en avez risque de vous voler votre vie. Chaque fois que vous tombez dans son piège, vous perdez de la force, alors que votre peur en gagne. Voilà pourquoi vous devez décider que, peu importe combien la route à parcourir vous semble difficile, vous surmonterez vos angoisses afin de poursuivre votre chemin.

Il y a quelques années, j'écrivais chaque jour la question suivante dans mon journal intime : « De quoi ai-je peur ? » Au fil du temps, j'en suis venue à comprendre que même si j'avais souvent semblé courageuse vue de l'extérieur, j'avais vécu une grande partie de ma vie intérieure en captivité. Je craignais que l'on ne m'aime pas. J'étais effrayée à l'idée d'être rejetée si je disais non aux gens. Tout ce que je faisais, pensais, ressentais, disais, ou même mangeais était lié à la peur qui m'habitait en permanence. Je la laissais m'empêcher de découvrir qui j'étais réellement.

Le Dr Phil dit souvent que l'on ne peut changer ce que l'on n'admet pas. Avant de pouvoir affronter ma peur et commencer à modifier la perception que j'avais de moi-même, je devais reconnaitre qu'en effet j'avais toujours vécu dans la peur – et que celle-ci constituait un genre d'esclavage. L'auteur Neale Donald Walsch a dit : « Tant que vous vous soucierez de l'opinion des gens à votre sujet, vous leur appartiendrez. Vous ne vous appartiendrez que lorsque vous n'aurez plus besoin de l'approbation d'une autre personne que vous-même. »

Il est vrai que, si vous avez le courage de voter en votre propre faveur, si vous osez prendre des risques, vous exprimer, changer, ou même faire simplement une chose hors de ce que les autres appellent la norme, il se peut que les résultats ne soient pas toujours agréables. Attendez-vous à vous heurter à des obstacles. À trébucher.

À ce que les autres vous trouvent insensé. Il se peut que vous ayez parfois l'impression que le monde entier se ligue pour vous faire savoir qui vous ne pouvez pas devenir et ce qu'il vous est impossible d'accomplir. (Il se peut que vous contrariiez les gens si vous excédez les attentes limitées qu'ils ont toujours eues à votre égard.) Et dans vos moments de faiblesse, votre peur et vos doutes risquent de vous faire vaciller. Il se peut que vous soyez épuisé au point de souhaiter tout abandonner. Les solutions de rechange seront néanmoins encore pires : il se peut que vous vous enlisiez misérablement pendant des années ou que vous passiez trop de temps à vous morfondre dans les regrets, à toujours vous demander : *À quoi aurait ressemblé ma vie si je ne m'étais pas autant préoccupé de l'opinion d'autrui ?*

Et si vous décidiez dès maintenant d'empêcher la peur de vous freiner ? Et si vous appreniez à vivre avec elle, à chevaucher sa vague jusqu'à atteindre des hauteurs que vous n'auriez jamais cru possibles ? Il se pourrait que vous découvriez ainsi la joie de faire abstraction de ce que tout le monde désire pour vous et que vous finissiez par prêter attention à vos propres besoins. Sans compter que vous apprendriez, en définitive, que vous n'avez rien à prouver à qui que ce soit, sinon à vous-même. Voilà ce que signifie réellement vivre sans la peur – et continuer d'aspirer à la vie qui serait vraiment la meilleure dans votre cas.

V *otre courage se mesure véritablement* non pas au fait d'atteindre votre but, mais à celui de décider de remonter en selle, peu importe combien de fois vous connaissez l'échec. Je sais que ce n'est pas facile, mais ce dont je suis certaine, c'est que d'avoir le courage de vous relever et de poursuivre vos rêves les plus fous vous procurera les récompenses les plus riches et les aventures les plus extraordinaires. Et savez-vous ce qu'il y a de plus surprenant dans tout cela ? C'est qu'à l'instant même, peu importe où vous vous trouvez, un simple choix vous sépare d'un nouveau commencement.

U n *de mes instants déterminants* s'est manifesté lorsque j'étais en troisième année du primaire – le jour où un compte rendu de lecture que j'avais remis à mon professeur m'a valu ses éloges et que mes compagnons de classe ont murmuré avec rancœur : « Elle se croit tellement intelligente. » Pendant trop d'années par la suite, ma plus grande peur était que les gens me considèrent comme arrogante. D'une certaine manière, même mon poids me servait d'excuse devant le monde – c'était ma façon de lui dire : « Vous voyez, je ne pense vraiment pas être meilleure que vous. » La dernière chose que je voulais, c'était que mes actions me fassent passer pour quelqu'un qui a la grosse tête.

Dès l'enfance, la plupart des filles apprennent à esquiver les éloges. Nous nous excusons de nos réalisations. Nous cherchons à effacer toute distinction entre nous-même et notre famille ainsi que nos amis en minimisant notre grande intelligence. Nous nous contentons du siège du passager, alors que nous souhaitons ardemment conduire. Voilà pourquoi nous sommes si nombreuses à avoir été prêtes à dissimuler notre lumière en tant qu'adultes. Au lieu d'être remplies de la passion et de l'ambition qui nous permettraient d'offrir au monde ce que nous avons de meilleur, nous nous vidons de nous-mêmes dans l'espoir de faire taire nos détracteurs.

La vérité, c'est que les irréductibles de votre entourage ne seront jamais satisfaits. Que vous vous cachiez ou que vous brilliez, ils se sentiront toujours menacés parce qu'ils ne se sentent pas *eux-mêmes* à la hauteur. Alors, cessez de leur prêter attention. Chaque fois que vous faites fi d'une partie de vous-même ou que vous permettez aux autres de vous diminuer, vous faites abstraction du manuel de l'utilisateur que votre Créateur vous a remis. Ce dont je suis certaine : vous avez été créée non pour vous abaisser jusqu'à devenir moins, mais pour vous épanouir jusqu'à devenir plus. Devenir plus splendide. Devenir plus extraordinaire. Profiter de chaque instant pour faire le plein.

E n *1989, j'ai lu* le passage suivant dans *Le Siège de l'Âme*, de Gary Zukav :

L'intention est à la source de toute action, de toute pensée et de tout sentiment, et cette intention est une cause qui s'accompagne d'un effet. Si nous prenons part à la cause, il nous est impossible de ne pas participer à l'effet. Ainsi, nous sommes tenus pour responsables de chacune de nos actions, de chacune de nos pensées et de chacun de nos sentiments. Autrement dit, de chacune de nos intentions. [...] Il est donc tout indiqué que nous prenions conscience des nombreuses intentions qui dictent notre vécu, que nous découvrions quelles intentions engendrent quels effets et que nous choisissions nos intentions selon les effets que nous souhaitons produire (traduction libre).

C'est un paragraphe qui a transformé ma vie. Il y avait longtemps que je me reconnaissais responsable de ma propre vie, que je savais que chacun de mes choix engendrerait une conséquence. Par contre, les conséquences possibles semblaient n'avoir aucun rapport avec mes attentes. Cela s'explique par le fait que je m'attendais à une chose, alors que mon intention était autre. Mon intention de toujours m'efforcer de plaire aux gens, par exemple, a donné lieu à une conséquence indésirable : j'ai souvent eu le sentiment que l'on profitait de moi ou que l'on se servait de moi, et que les gens en étaient venus à s'attendre à recevoir toujours plus de ma part.

Le principe de l'intention m'a toutefois aidée à comprendre que le problème, ce n'était pas les autres, mais moi-même. J'ai alors décidé de ne faire que les choses qui reflétaient réellement la personne que j'étais, et uniquement ce qu'il me plaisait de faire pour les gens.

Ce dont je suis certaine, c'est que peu importe quelle est votre situation actuelle; vous avez joué un rôle majeur dans sa création. On bâtit sa vie grâce à chacune de ses expériences, pensée après pensée, choix après choix. Et derrière chacune de ces pensées et chacun de ces choix réside son intention la plus profonde. Voilà pourquoi, avant que je prenne une décision ou une autre, je me pose une certaine question primordiale : *Quelle est ma véritable intention ?*

Depuis que j'ai lu le passage tiré du livre *Le Siège de l'Âme*, j'ai pu constater à maintes reprises que de connaitre la réponse à cette question peut constituer notre force directrice. L'inverse vaut également. Si nous n'examinons pas notre intention, nous aboutissons souvent à des conséquences qui nous empêchent de progresser. Au fil des ans, j'ai vu bien trop de gens rester mariés alors qu'ils n'auraient pas dû, parce que leur intention était justement d'être simplement mariés, plutôt que d'être satisfaits. Et en fin de compte, chacun de ces couples s'est retrouvé dans une relation où l'intimité, la croissance et la création de liens solides étaient absentes.

Si vous vous sentez pris au piège dans votre vie et vous désirez aller de l'avant, commencez par examiner vos motivations passées. Regardez-y de près – j'ai découvert que mes intentions les plus sincères se dissimulent souvent dans l'ombre. Posez-vous les questions suivantes : *En quoi mes intentions m'ont-elles mené à mes expériences actuelles ? Et si je change d'intentions, quelles conséquences différentes engendrerai-je ?* En faisant des choix qui honoreront la personne que vous êtes, vous obtiendrez exactement ce que la vie a prévu pour vous – la possibilité de concrétiser votre potentiel incroyable.

J'*ai toujours entretenu* une excellente relation avec l'argent, même lorsque j'en avais à peine assez pour en parler. Je n'ai jamais craint de ne pas en avoir et ce que je possédais ne m'a jamais obsédée. Comme la plupart des gens, je me rappelle encore chacun des salaires que j'ai gagnés. Je présume que nous nous en souvenons parce que le salaire contribue à définir la valeur de nos services et, malheureusement pour certaines personnes, la valeur qu'elles s'accordent également à elles-mêmes.

J'ai compris que je ne me résumais pas à mon salaire lorsque j'avais quinze ans et que je gagnais cinquante cents par heure en surveillant les enfants chahuteurs de Mme Ashberry et en rangeant les vêtements qu'elle sortait presque au grand complet de sa penderie chaque fois qu'elle s'habillait. L'état de sa chambre à coucher ressemblait toujours à Macy's en fin de journée de soldes. Il y avait des chaussures, des colliers aux couleurs éclatantes et des robes partout. Juste avant de quitter la maison d'un pas léger (sans m'informer de l'endroit où elle allait ou du moyen de la joindre), elle me lançait : « Oh ! j'oubliais, ma belle, tu veux bien faire un peu de rangement ? » En fait, non, je ne voulais pas, bien entendu. Reste que la première fois que j'ai « rangé un peu », j'ai tellement bien fait les choses que je me suis dit qu'elle ne manquerait surement pas de me verser plus d'argent en voyant que j'avais non seulement rangé sa chambre, mais aussi celle des enfants. Elle ne l'a cependant jamais fait. Je suis donc passée à autre chose, en me trouvant un emploi mieux rémunéré – un emploi dans le cadre duquel je me disais que l'on aurait plus de considération pour mes efforts.

Il y avait un bazar à proximité de la boutique de mon père, où l'on m'a engagée pour un salaire d'un dollar cinquante par heure. Mon travail consistait à garder la marchandise bien rangée, à remplir les étagères, à plier les chaussettes. Je n'étais pas autorisée à tenir la caisse enregistreuse ni à m'adresser aux clients. Je détestais cela. Deux heures après avoir commencé ma première journée de travail, je me suis retrouvée en train de compter les minutes qui restaient avant la pause du midi, puis avant le moment de rentrer. Même à l'âge de quinze ans, je savais déjà que ce n'était pas une façon de vivre ni de gagner de l'argent. Je m'ennuyais à mourir, plus que tout ce que j'avais connu auparavant et ce que j'ai connu depuis. Au bout de trois jours, j'ai donc démissionné et je suis allée travailler dans la boutique de mon père – *gratuitement*. Je n'aimais pas y travailler non plus, mais au moins je pouvais parler aux gens et m'occuper sans avoir le sentiment que mon esprit se vidait d'heure en heure. Reste que mon père avait beau désirer qu'il en soit autrement, cette boutique ne ferait pas partie de mon avenir, et je le savais.

À l'âge de dix-sept ans, je travaillais à la radio et je gagnais cent dollars par semaine. Et c'est alors que j'ai fait la paix avec l'argent. J'ai décidé que, peu importe le travail que je ferais, je voudrais éprouver le même sentiment que lorsque j'ai fait mes premières armes à la radio : *j'aime tellement ça que, même si vous ne me payiez pas, je me présenterais au travail tous les matins, à l'heure et heureuse d'être là*. J'ai reconnu alors ce dont je suis maintenant certaine : si nous obtenons une rémunération pour faire ce qui nous plaît, chaque chèque de paye est une prime. Accordez-vous donc la prime de toute une vie en poursuivant votre passion. Découvrez ce qui vous plaît réellement. Donnez-vous-y ensuite à fond !

Je n'ai jamais été du genre à faire du rafting ou du saut à l'élastique. Ce n'est pas ma définition de l'aventure, car ce dont je suis certaine, c'est que l'aventure la plus importante de notre vie ne doit pas forcément impliquer l'ascension du plus haut sommet ou un voyage autour du monde. Le plus grand frisson que nous puissions nous procurer consiste à mener la vie de nos rêves.

Peut-être êtes-vous comme tant de femmes avec qui j'ai parlé au fil des ans et qui ont mis en veilleuse leurs désirs les plus profonds afin d'accommoder tout le monde. Vous ne tenez aucun compte du petit coup de coude – le murmure qui se présente souvent sous forme de sentiment de vide ou d'agitation intérieure – vous incitant à accomplir enfin ce que vous savez devoir faire. Je comprends à quel point il est facile de rationaliser : votre compagnon et vos enfants ont besoin de vous; l'emploi qui, de votre propre aveu, vous rend misérable exige énormément de votre temps. Mais que se produit-il lorsque vous travaillez dur à quelque chose qui ne vous satisfait pas ? Cela vous draine l'esprit, vous dérobe votre force de vivre. Vous devenez épuisée, déprimée et en colère.

Nul besoin de gaspiller une seule autre journée à parcourir ce chemin. Il vous est possible de recommencer du début, en regardant à l'intérieur de vous. Pour cela, vous devez vous débarrasser des distractions et prêter attention à la petite idée dont vous avez fait abstraction. J'ai découvert que, plus les choses sont stressantes et chaotiques à l'extérieur de nous, plus il est nécessaire d'être calmes en nous-mêmes. C'est le seul moyen que nous avons de prendre conscience de la direction que notre esprit veut nous faire emprunter.

Il y a de nombreuses années, lorsque j'étais une jeune journaliste pour la chaine de télévision WJZ à Baltimore, on m'a confié ce que l'on croyait être un boulot en or. On m'a envoyé à Los Angeles pour y interviewer quelques vedettes de la télévision.

Au début, cela m'a transportée de joie. J'avais ainsi la chance de faire mes preuves en tant qu'intervieweuse – seule, sans l'aide de mon coprésentateur habituel – et d'ajouter un peu de prestige à ma carrière grâce à ces célébrités. Rendue en Californie, cependant, je me suis sentie comme un petit poisson que l'on venait de jeter dans l'aquarium d'Hollywood. J'ai commencé à douter de moi-même : *Qui étais-je pour croire que je pouvais simplement entrer dans leur monde et m'attendre à ce que ces célébrités m'adressent la parole ?* Des journalistes de tout le pays avaient été invités. Nous étions une véritable horde de présentateurs de nouvelles, ainsi que de reporters spécialisés dans le divertissement et les styles de vie. Chacun avait cinq minutes pour interviewer un acteur ou une actrice faisant partie d'une des émissions de télévision de la saison à venir. J'ai commencé à me sentir nerveuse. Mal à l'aise. Incompétente. Pas suffisamment qualifiée pour être là avec tous ces autres reporters provenant de villes bien plus grandes et ayant plus d'expérience que moi.

Pour empirer les choses, une représentante de Priscilla Presley, qui se trouvait là en vue d'une nouvelle émission qu'elle allait animer, m'a dit – comme j'étais la onzième en ligne pour lui parler – : « Vous pouvez discuter de n'importe quoi, mais peu importe ce que vous faites, ne mentionnez pas Elvis. Sinon, elle vous plantera là. » Si bien que je n'étais plus non seulement intimidée par ce nouveau monde de « vedettes » et de leurs agents, mais encore je me sentais tout à fait inhibée.

J'étais journaliste pour la télévision depuis l'âge de dix-neuf ans. J'avais interviewé des centaines de personnes dans des contextes difficiles et je m'enorgueillissais d'être capable de rompre la glace et d'établir le contact. Par contre, je n'avais pas l'habitude de côtoyer de vraies « vedettes ». Je croyais qu'elles possédaient quelque chose de mystique en elles, que leur célébrité les rendait non seulement différentes, mais aussi meilleures que nous qui sommes des gens ordinaires. Par ailleurs, j'avais du mal à m'imaginer comment parvenir à faire du bon boulot en n'ayant que cinq minutes pour effectuer mon entrevue et sans même être autorisée à poser les questions les plus importantes.

Pour une raison qui m'échappe – on pourrait parler de coïncidence; je parlerai pour ma part de grâce en action –, on m'a fait interviewer un jeune comédien qui commençait une nouvelle émission intitulée *Mork and Mindy,* avant de m'accorder une entrevue avec Priscilla Presley. Se sont ensuivies cinq des minutes les plus exaltantes, folles et hors norme que j'avais jamais vécues en entrevue, en compagnie de la célébrité la moins inhibée, la plus originale, la plus rafraichissante et la plus humaine que j'avais jamais rencontrée.

Je ne me souviens plus d'un seul mot que j'ai prononcé (mais je sais que je n'ai pas dit grand-chose). Il était une véritable boule d'énergie. Je me rappelle m'être dit : *Peu importe qui est ce gars-là, il ira LOIN.* Il n'avait pas peur de montrer toutes les facettes de sa personnalité. Je me suis beaucoup amusée avec Robin Williams, et j'ai appris sur-le-champ à me laisser emporter là où l'entrevue me conduisait. Il sautait continuellement du coq à l'âne, et je devais suivre le courant.

Si bien que, lorsque mon tour est venu de m'adresser à Mademoiselle Priscilla, j'avais bien appris ma leçon : on n'accomplira jamais rien qui en vaille la peine en s'abandonnant à l'inhibition.

Je l'ai interrogée au sujet d'Elvis. Elle ne m'a pas plantée là. En fait, elle a eu l'amabilité de me répondre.

Si la vie ne vous enseigne rien d'autre, sachez une chose : lorsque la chance vous sourit, profitez-en.

T outes mes plus grandes erreurs ont découlé du fait d'avoir cédé mon pouvoir à une autre personne, en croyant que l'amour que les autres avaient à m'offrir comptait plus que celui que j'avais pour moi-même. Je me rappelle que lorsque j'avais vingt-neuf ans, une certaine relation fondée sur le mensonge et la tromperie m'avait fait toucher le fond en me faisant pleurer à genoux pour M. Homme, encore une fois. Je l'avais attendu toute la soirée – il m'avait posé un lapin, arrivant plusieurs heures après celle de notre rendez-vous, et j'avais osé lui demander des explications. Je me souviens qu'il s'était tenu dans l'embrasure de la porte et m'avait craché au visage : «Ton problème, ma poupée, c'est que tu te crois spéciale.» Puis il avait tourné les talons et m'avait claqué la porte au nez.

J'avais grandi en voyant ma cousine Alice se faire maltraiter physiquement par son petit ami, et je m'étais juré que je n'accepterais jamais d'être traitée de la sorte. Reste que, assise là sur le plancher de la salle de bains après son départ, j'ai pu voir avec netteté que la seule différence entre Alice et moi, c'était que mon petit ami ne m'avait pas frappée. M. Homme avait néanmoins tort : je *ne* me croyais *pas* spéciale – et c'était justement là tout le problème. Pourquoi me laissais-je traiter ainsi ?

Même malgré cette prise de conscience, il m'a fallu une année de plus pour mettre un terme à cette relation. J'ai continué d'espérer et de prier que les choses s'améliorent, qu'il change. Il ne l'a jamais fait. J'ai donc commencé à prier pour avoir la force de mettre fin à ma relation amoureuse. Je priais, et j'attendais de me sentir mieux. Et j'attendais. Et j'attendais encore. En continuant de répéter mes vieux schémas comportementaux.

Jusqu'au jour où la réalité m'a frappée : tandis que j'attendais après Dieu, Dieu attendait après moi. Il attendait que je prenne la décision soit d'adopter la vie qui m'était destinée, soit de me laisser étouffer par celle que je menais. J'ai reconnu la vérité selon laquelle je suis bien telle que je suis. Je me suffis à moi-même.

Or, cette révélation a engendré son propre miracle. C'est environ à cette époque que j'ai reçu l'appel téléphonique me demandant de passer une audition en vue d'un talk show à Chicago. Si j'étais restée empêtrée dans cette relation, ma vie telle que je la connais ne se serait jamais concrétisée.

Quelle est la vérité de votre vie ? Il est de votre devoir de la connaitre.

Afin de la découvrir, sachez que cette vérité correspond à ce qui vous semble bien, bon et empreint d'amour. (L'amour ne blesse pas, je l'ai appris au cours des années qui se sont écoulées depuis mes vingt-neuf ans. Il nous procure un sentiment très agréable. Il nous permet de vivre chaque jour avec intégrité.)

Tout ce que nous faisons et disons témoigne au monde de ce que nous sommes. Alors, autant qu'il s'agisse de la vérité.

J e n'oublierai jamais l'instant où j'ai décidé de toujours me choisir, moi. Je me rappelle ce que je portais (un col montant bleu et un pantalon noir), où j'étais assise (dans le bureau de mon patron), à quoi ressemblait ma chaise et à l'impression qu'elle me laissait (au dessin cachemire marron, trop profonde et trop rembourrée) – lorsque mon patron, le directeur général de la station de télévision de Baltimore où je travaillais, m'a dit : « Tu n'as aucune chance de réussir à Chicago. Tu te diriges directement vers une mine terrestre sans même t'en rendre compte. C'est un suicide professionnel. »

Il a employé toutes les tactiques qui lui venaient à l'esprit pour me convaincre de rester : plus d'argent, une voiture de fonction, un nouvel appartement et, pour terminer, l'intimidation : « Tu vas droit à l'échec. »

J'ignorais s'il avait raison. Je n'avais pas l'assurance nécessaire pour me croire capable de réussir. Reste que j'ai trouvé le courage d'oser lui dire, avant de me lever et de quitter son bureau : « Vous avez raison, il se peut que je ne réussisse pas et que je me dirige droit vers des mines terrestres. Mais si elles ne me tuent pas, au moins je vais continuer de grandir. »

Précisément à cet instant-là, j'ai choisi le bonheur – le bonheur durable qui m'habite jour après jour parce que j'ai décidé de ne pas céder à la peur et d'aller de l'avant.

Rester à Baltimore aurait été la chose sécuritaire à faire. Par contre, lorsque j'étais assise dans le bureau de mon patron, j'ai su que si je le laissais me convaincre de rester, cette décision affecterait ma perception de moi-même à tout jamais. Je passerais ma vie à me demander ce qui aurait pu arriver. Ce choix bien précis a changé la trajectoire de ma vie.

Je vis dans un état de contentement exalté (ma définition du bonheur), animée d'une passion pour tout ce envers quoi je m'engage : mon travail, mes collègues, mon foyer, ma gratitude pour chaque respiration prise avec liberté et paix. Et ce qui rend les choses encore meilleures, c'est de savoir avec certitude que j'ai moi-même créé ce bonheur. C'était mon choix.

Le temps file à toute allure. Ceux d'entre vous qui ont des enfants en sont plus que conscients, car vos enfants ne cessent de grandir en changeant physiquement et intérieurement. Le but à atteindre pour nous tous consiste à continuer de grandir intérieurement, à évoluer jusqu'à nous approprier la meilleure vie possible pour nous-mêmes.

J'ai toujours su au plus profond de mon être, même lorsque je n'étais encore qu'une adolescente, que quelque chose de plus grand m'attendait dans la vie – n'ayant rien à voir avec la richesse ou la célébrité. Quelque chose relatif au processus consistant à chercher sans cesse à m'améliorer, à poursuivre l'excellence à tous les niveaux.

Ce dont je suis certaine, c'est que notre vie de rêve ne peut se concrétiser qu'une fois que nous avons fait de ce processus notre but à atteindre. Cela ne veut pas nécessairement dire que notre processus nous conduira à la richesse et à la célébrité. En fait, il se peut que notre rêve n'ait rien à voir avec une prospérité tangible et ait tout à voir avec la création d'une vie remplie de joie, vécue sans regret et avec la conscience tranquille. J'ai découvert que, oui, la richesse constitue un outil qui nous procure des choix, mais qu'elle ne peut compenser une vie non vécue à fond. Sans compter qu'elle ne peut certainement pas susciter en nous un sentiment de paix. Le fait d'être en vie a pour but essentiellement de devenir la personne que l'on est censé être, de se dépasser et d'être transformé sans cesse en grandissant.

Je crois que nous ne pouvons y parvenir qu'en nous arrêtant assez longtemps pour entendre le murmure que nous avons peut-être étouffé, cette petite voix qui nous pousse vers notre appel. Et que se produit-il alors ? Nous affrontons le plus grand défi de tous : rassembler le courage de réaliser notre rêve en dépit de tout ce que l'on peut en dire ou en penser. Vous êtes la seule personne en vie qui puisse voir votre cheminement dans son ensemble, sans même le discerner en entier. La vérité, c'est que même si vous planifiez, vous rêvez et vous allez de l'avant dans la vie, vous ne devez jamais oublier que vous agissez toujours conjointement avec le courant et l'énergie de l'univers.

Progressez en direction de votre but avec toute la force et toute l'inspiration que vous pouvez déployer. Puis lâchez prise, cédez votre plan d'action à la Puissance qui vous surpasse et laissez votre rêve se concrétiser en tant que chef-d'œuvre indépendant. Rêvez en grand – très grand. Travaillez dur – très dur. Et une fois que vous aurez fait tout votre possible, abandonnez-vous entièrement à la Puissance.

L'émerveillement

--- ❦ ---

« Le mot question *évoque un autre beau mot :* quête.
Un mot qui me plait énormément. »
—Elie Wiesel

J e ne fais plus la liste de mes résolutions du Nouvel An. Par
contre, je réfléchis considérablement en janvier aux moyens
de continuer d'aller de l'avant.

Un certain premier matin de l'an, j'étais assise sous mon porche avant à Hawaï, à contempler l'océan et à méditer. Je priais pour
devenir plus déterminée à me conscientiser pleinement, afin que
chacune de mes expériences me rapproche de l'essence même de
la vie.

Le soir venu, ma prière était déjà exaucée sous la forme de la
rencontre spirituelle la plus profonde que j'ai faite de toute ma vie.

Mon ami Bob Greene et moi faisions une randonnée ensemble.
Le soleil s'était couché, laissant le ciel zébré de lavande. Des

nuages étaient descendus de la montagne et s'étaient étendus sur l'océan, laissant une seule petite ouverture par laquelle on pouvait voir la lune. La brume des nuages nous enveloppait et ne nous laissait apercevoir qu'un seul bout de ciel clair illuminé par un croissant de lune.

« Regarde ça, m'a dit Bob. On dirait le logo de DreamWorks. Ça me donne envie de grimper là-haut et de m'y assoir avec une canne à pêche. »

Cette vue était surréaliste.

Tandis que nous poursuivions notre promenade, Bob s'est tourné vers moi et m'a dit : « Arrête-toi une minute. »

Je me suis arrêtée.

« Tu entends ça ? » m'a-t-il murmuré.

Je l'entendais effectivement, et ça m'a coupé le souffle. Il s'agissait du son du silence. Le calme plat. C'était silencieux au point que je parvenais à entendre battre mon cœur. Je voulais retenir mon souffle, car mes simples inspirations et expirations étaient cacophoniques. Il n'y avait absolument aucun mouvement, aucune brise, pas même une seule manifestation de l'air. C'était le son de rien et de tout. On aurait dit que toute la vie… toute la mort… et l'au-delà étaient contenus dans un même espace, et je ne faisais pas que me tenir debout dedans, j'en *faisais* également *partie*. Ce fut l'instant le plus paisible, le plus cohérent et le plus pénétrant que j'ai vécu de toute ma vie. C'était le ciel sur la terre.

Nous sommes restés debout sur place pendant très longtemps. M'efforçant de ne pas respirer, émerveillée, je me suis rendu compte que c'était précisément ce que j'avais demandé plus tôt au cours de la journée. Voilà la signification de « Demandez, et vous recevrez... cherchez, et vous trouverez. » Cet instant constituait effectivement « l'essence même de la vie ». Et ce dont je suis certaine, c'est que ce moment nous est toujours accessible. Si vous épluchez votre vie – en en retirant la frénésie et le bruit –, vous découvrirez le calme qui vous attend.

Ce calme, c'est vous.

C'est ce que j'appelle un moment « gloire, gloire, alléluia ». Je voulais le retenir pour toujours, et c'est ce que j'ai fait. Il m'arrive parfois d'être dans une réunion, avec des gens faisant la queue à ma porte, et je me contente d'inspirer et de retourner mentalement à la route, aux nuages, à la lune... au calme, à la paix.

J*e dois souvent affronter* des choses au sujet desquelles je n'ai aucune certitude. Reste que je crois fermement aux miracles. Pour moi, le miracle correspond au fait de voir le monde avec le regard illuminé. C'est savoir qu'il y a toujours de l'espoir et des possibilités là où il ne semble pas en exister. Beaucoup de gens sont fermés aux miracles au point que, même lorsqu'il y en a un qui leur pend au bout du nez, ils disent qu'il ne s'agit que d'une coïncidence. Quant à moi, j'appelle les choses par leur nom, et les miracles sont la confirmation de l'œuvre d'une chose qui nous transcende. Je crois qu'ils se produisent tous les jours, et non simplement parfois, mais encore faut-il être disposé à les voir.

Dans ma propre vie, les miracles impliquent souvent les choses les plus simples, comme parvenir à courir huit kilomètres en moins de cinquante minutes. Ou encore, être épuisée au terme d'une longue course et avoir faim d'un bol de soupe aux poivrons rouges et aux tomates – puis entrer dans la cuisine et découvrir que ma marraine, Madame E, m'en a laissé sur la cuisinière. Le miracle, c'est regarder un coucher de soleil couleur pêches tourner aux framboises à la fin de ma promenade à pied en soirée. C'est avoir des grenades, des kiwis et des mangues sur un joli plateau au petit déjeuner. C'est admirer les pivoines roses que je cueille dans mon propre jardin et que je mets dans ma chambre à coucher. C'est voir une fourgonnette verte s'arrêter sur la route et une jeune femme sortir la tête par la fenêtre pour me crier : « Vous êtes la meilleure prof de la télé ! » – alors qu'elle est elle-même enseignante dans une maternelle. C'est le gazouillis des oiseaux et leurs chants individuels, ainsi que le moment où je me demande : *Est-ce qu'ils chantent les uns pour les autres, pour eux-mêmes ou simplement pour être entendus ?*

Un miracle, c'est la chance de me rouler dans l'herbe avec tous mes chiens – et d'avoir un dimanche entier en perspective sans obligations, sans projets, sans avoir à me rendre où que ce soit. C'est la chance de me retrouver après avoir passé toute la semaine à courir ici et là, et d'avoir enfin le temps d'exister tout simplement – d'être seule. C'est méditer sous le porche d'un chalet en bois rond, tandis que les feuilles bruissent comme de l'eau et qu'une oie apprend à sa couvée à nager sur l'étang. C'est savourer la joie de la vie glorieuse d'ici-bas – et d'avoir la chance de la vivre en tant que femme libre. S'il n'y a rien d'autre dont je suis certaine, je sais à tout le moins que les grands miracles que nous attendons se produisent sous nos yeux, à tout moment, à chacune de nos respirations. Ouvrez les yeux et le cœur, et vous vous mettrez à les voir.

V ieillir est la meilleure chose qui me soit arrivée.

Dès mon réveil, je vois la prière matinale de remerciement, affichée au mur de ma salle de bains, tirée du livre de Marianne Williamson intitulé *Illuminata*. Peu importe mon âge, je pense à toutes les personnes qui ne se sont pas rendues aussi loin. Je pense aux gens qui ont été rappelés avant de saisir toute la beauté et toute la majesté de la vie sur la terre.

Je sais avec certitude que chaque journée comporte la possibilité de contempler le monde avec émerveillement.

Plus je vieillis, moins je tolère la mesquinerie et la superficialité. Il existe une richesse n'ayant rien à voir avec les dollars, qui découle de la perspective et de la sagesse que procure le fait de prêter attention à la vie que nous menons. Elle a tout à nous enseigner. Et ce dont je suis certaine, c'est que la joie de bien apprendre la leçon constitue la plus grande des récompenses.

Au *fil des ans*, j'ai entendu des histoires tout à fait étonnantes au sujet de presque toutes les situations humaines. Conflit, défaite, triomphe, résilience. J'ai toutefois rarement été plus émerveillée que par l'histoire de John Diaz. En octobre 2000, John se trouvait à bord du vol 006 de la Singapore Airlines lorsque l'avion a explosé au moment du décollage. Quatre-vingt-trois personnes ont péri dans les flammes. John et quatre-vingt-quinze autres personnes ont survécu. John – qui se décrit lui-même comme un gars très franc, compétitif et pragmatique – souffre encore physiquement de ses blessures. Par contre, dans un autre sens, il est plus vivant qu'avant de passer littéralement par le feu.

L'avion a décollé par un très mauvais temps. Avant de monter à bord, John avait résisté à son instinct, qui lui disait de ne pas prendre ce vol. Il avait téléphoné plusieurs fois à la compagnie aérienne : « Êtes-vous sûr que cet avion va s'envoler ? » en raison de la violente tempête qui faisait rage. En regardant par le hublot tandis que l'avion se déplaçait au sol, il ne voyait qu'un rideau de pluie. Assis tout à fait en avant de l'avion, il a regardé le nez commencer à lever.

Le 747 s'était toutefois engagé sur la mauvaise piste.

Au début, John a ressenti une légère secousse (l'avion venait de heurter une barrière de béton), suivie d'un énorme coup. Quelque chose (une pelle rétrocaveuse) venait de déchirer la paroi latérale de l'avion à proximité de là où il était assis. Son siège s'est déboulonné et a été projeté sur le côté. Il pouvait sentir l'avion rouler et tourbillonner sur la piste. Puis il s'est arrêté. Pour reprendre ses mots :

« C'est alors que l'explosion a eu lieu… une énorme boule de feu est passée au-dessus de moi pour se rendre jusqu'au nez de l'avion, puis elle a été aspirée immédiatement à l'intérieur, presque comme au cinéma. Puis il y a eu ce jet de carburant comme du napalm – tout ce qu'il a touché… il l'a allumé comme une torche…

« Et un homme, un Asiatique, a couru directement vers moi, entièrement enflammé. Je pouvais voir tous ses traits, et qu'il avait l'air ébahi – comme s'il ne se savait même pas mort et en train de bruler. Je me suis alors dit que je devais bien être dans le même état que lui. J'ai vraiment cru à ce stade-là que j'étais mort. »

J'ai demandé à John si, selon lui, il devait d'avoir eu la vie sauve à une intervention divine. Il m'a répondu que non. Il m'a dit que ce qui l'avait aidé à se sortir de là, c'était le fait de s'être trouvé à un bon endroit dans l'avion et d'avoir réfléchi rapidement : pour se protéger de la fumée et des flammes, il s'était couvert la tête du sac de cuir qu'on l'avait encouragé à ne pas apporter dans la cabine, puis il avait cherché la porte et avait continué d'aller de l'avant.

Ensuite, il a dit quelque chose qui me revient encore en tête aujourd'hui.

Selon John, l'intérieur de l'avion « ressemblait à *L'Enfer* de Dante, avec des gens qui brulaient attachés à leur siège, tout simplement. On aurait dit qu'une aura quittait leur corps – certaines plus éclatantes que d'autres. […] J'ai pensé que la luminosité et la faible lumière des auras étaient attribuables à la façon dont chaque personne avait vécu sa vie. » John dit que cette expérience – la vue de ce qu'il ne pouvait décrire que comme des auras, une énergie lumineuse quittant des corps et flottant au-dessus des flammes – l'a transformé, l'a rendu plus empathique. Et même s'il ne qualifie toujours pas sa survie de miracle, il déclare : « Je tiens à vivre ma vie de manière à ce que mon aura, lorsqu'elle me quittera, soit très éclatante. »

Ce dont je suis certaine, c'est que la vie sur notre magnifique planète est un don extraordinaire. Et je veux que le temps que je passe ici soit aussi lumineux que possible.

C *e dont je suis certaine*, c'est que la vie ne saurait avoir de véritable signification sans composante spirituelle.

À mon avis, l'esprit est l'essence même de notre être. Il n'exige aucune croyance particulière. Il est, tout simplement. Et la clé de cette essence consiste à être conscient du moment présent, voilà tout. L'esprit transforme. Il redéfinit la signification du fait d'être en vie.

La spiritualité peut être quelque chose d'aussi ordinaire – et extraordinaire – que le fait d'accorder toute son attention à une autre personne, sans réfléchir à ce que l'on a d'autre à faire pour l'instant. Ou encore, s'efforcer de faire quelque chose de bien pour une personne. Ou encore, amorcer sa journée par un moment de silence complet. Ou encore, se réveiller en sentant le café, en « goutant » son arome au moyen de ses sens, en faisant de chaque gorgée un pur plaisir, et lorsque le plaisir s'est émoussé, le mettre de côté.

Ce dont je suis certaine : la lumière entre dans notre vie une respiration consciente à la fois.

Détendez-vous.

Ma vie *entière est* un miracle. Ainsi en va-t-il de la vôtre. J'en ai la certitude.

Peu importe comment vous en êtes venu à exister – que vous ayez été désiré ou « un accident » (comme on me l'a répété pendant de nombreuses années) –, le fait que vous soyez là à lire la présente page est formidable.

Je le dis sans connaitre les détails de votre vie. Ce que je sais, par contre, c'est que chaque personne a sa propre histoire d'espoir et de tristesse, de victoires et de défaites, de rédemption, de joie et de lumière.

Chacun a eu son lot de leçons de vie. Si on les apprend bien ou non, cela relève entièrement de soi.

Si vous choisissez de percevoir le monde comme une salle de cours, vous comprendrez que toutes vos expériences visent à vous enseigner quelque chose sur vous-même. Et que votre parcours de vie a pour but de vous permettre de devenir davantage qui vous êtes. Un autre miracle : nous prenons tous part au voyage.

Les expériences les plus pénibles sont souvent celles qui nous en enseignent le plus. Lorsque les ennuis s'imposent à moi, j'essaie de me demander : « Quel est le but véritable de tout cela, et quelle leçon suis-je censée en tirer ? » Je peux prendre la meilleure décision – et croitre en tirant une leçon de l'expérience – uniquement en découvrant quelle est la leçon réelle à apprendre.

Après tout ce qui m'est arrivé au cours de toutes les années que j'ai passées ici-bas, ce dont je suis le plus fière, c'est que je reste disposée à évoluer. Je sais que toute rencontre physique comporte une signification métaphysique. Et je suis prête à tout voir.

J' *ai eu la chance* de passer un peu de temps en République des Fidji il y a plusieurs années, et tandis que je m'y trouvais, j'ai eu grand plaisir à regarder les vagues lécher doucement les rives.

Je compare chaque ondulation à chacun de nous dans la mer qu'est la vie. Nous nous croyons tous tellement différents les uns des autres, mais ce n'est pas le cas. Nous nous revêtons de costumes et de coutumes d'aspiration, de combat, de victoire, de sacrifice et de deuil – et nous oublions bien vite qui nous sommes en réalité.

Un matin, tandis que j'étais assise à regarder les vagues, j'ai envoyé un courriel à mon ami poète Mark Nepo, dont le *Book of Awakening* (Livre du réveil) présente des leçons quotidiennes pour toute une année qui enseignent à vivre plus intentionnellement. Voici la réponse de Mark à mon courriel :

TU T'INFORMES DE LA POÉSIE

Tu te renseignes à partir d'une île si lointaine qu'elle demeure vierge. Marcher en silence jusqu'à ce que le miracle en toute chose se mette à parler, c'est de la poésie. Tu veux aller en quête de poésie dans ton âme et dans la vie de tous les jours, comme tu chercherais des pierres sur une plage. À six-mille-cinq-cents kilomètres de là, tandis que le soleil glace la neige, je souris. Car en ce moment, tu es le poème. Après avoir passé des années à chercher, je ne peux que dire que la recherche de petites choses revêtues des profondeurs, c'est la poésie. Mais l'écoute de ce qu'elles disent, c'est le poème.

Je n'avais jamais considéré la poésie sous cet angle auparavant. Toutefois, assise sur la plage d'une ile, je pouvais sentir que ce que Mark disait dans le reste de son courriel était également vrai :

« Pour moi, la poésie, c'est la déclaration inattendue de l'âme. C'est là que l'âme touche au quotidien. Elle concerne moins les paroles et plus l'éveil des sens à la vie que nous portons en nous depuis la naissance. Marcher en silence jusqu'à ce que le miracle en toute chose se mette à parler, c'est de la poésie, que nous la couchions par écrit ou non. J'avoue qu'au début, je voulais écrire des poèmes exceptionnels, jusqu'à ce que la vie me forme à vouloir découvrir de véritables poèmes; et maintenant que je suis dans la seconde moitié de ma vie, je désire plus humblement et avec enthousiasme être moi-même le poème ! »

Voici assurément une aspiration qui vaut la peine d'être entretenue : ne pas simplement aimer la poésie, mais être également le poème.

À mon sens, la spiritualité, c'est le fait de reconnaitre que je suis liée à l'énergie de toute la création, que j'en fais partie – et qu'elle fait toujours partie de moi. Quelle que soit l'étiquette ou quel que soit le mot utilisé pour la décrire, cela importe peu.

Les mots sont tout à fait inadéquats. La spiritualité, ce n'est pas la religion. Il est possible d'être spirituel, sans toutefois évoluer dans un contexte religieux. Le contraire est également vrai : on peut être très religieux, sans aucune dimension spirituelle, tout en doctrine.

La spiritualité n'est pas une chose en laquelle je crois. C'est ce que je suis. La connaissance de ce fait a tout changé pour moi. Cela me permet de vivre sans crainte, et de manifester la raison pour laquelle j'ai été créée. J'oserai même dire que je sais avec certitude que la plus grande des découvertes de la vie consiste à reconnaitre que l'on ne se résume pas à son corps et à son esprit.

Au fil des ans, j'ai lu des centaines de livres qui m'ont aidée à avoir une meilleure écoute spirituelle. Un d'entre eux en particulier, *Nouvelle Terre*, d'Eckhart Tolle, a résonné si profondément en moi qu'il a changé du tout au tout ma perception de moi-même et de toutes choses. Ce livre porte essentiellement sur la nécessité de reconnaitre que nous ne sommes pas nos pensées, et de voir, donc de modifier, la façon dont notre esprit dirigé par l'égo domine notre vie.

Permettre à la vérité quant à la personne que vous êtes – votre être spirituel – de régner sur votre vie revient à cesser de combattre pour apprendre à suivre votre courant de vie. Pour reprendre les paroles de *Nouvelle Terre* : « Le secret de l'art de vivre, le secret du succès et du bonheur se résume en cinq mots : faire un avec la vie. Faire un avec la vie, c'est faire un avec le moment présent. Dès cet instant, vous réalisez que ce n'est pas vous qui vivez votre vie, mais la vie qui vous vit. La vie est le danseur et vous, la danse[1]. »

Aucun plaisir que l'on puisse imaginer ne saurait égaler la joie et la vitalité que procure le fait d'être cette danse. J'ai appris qu'il faut pour cela s'engager à faire l'expérience de l'essence spirituelle de la vie. Et cela, comme je l'ai dit lors d'une conversation avec Eckhart Tolle, est une décision que l'on prend chaque jour : être dans le monde, sans être du monde.

---

1. http://nouvelleterre.filialise.com/NouvelleTerreSurLeWeb.pdf, p. 132.

V*ous rappelez-vous les rumeurs* qui ont circulé sur Internet au cours de l'année 2012 ? Pour ceux d'entre nous qui ne connaissent pas bien les prophéties au sujet des changements mondiaux (fondées en partie sur les cycles du calendrier maya), il suffira de dire que certaines personnes ont prédit un effondrement cataclysmique de la civilisation humaine, alors que d'autres ont prédit une période de transformation spirituelle.

Bien entendu, personne ne peut prédire l'avenir, mais il y a une chose dont je suis néanmoins certaine : le pouvoir de l'intention. Et j'ai l'intention d'aborder chaque année comme étant très prometteuse. Aucun jugement dernier pour moi : j'espère apporter une amélioration à ma personne et au monde en provoquant un changement qui nous amènera à vivre avec plus d'authenticité, plus d'amour, plus d'intuition, plus de créativité et plus de collaboration. Voilà l'idée que je me fais de l'évolution spirituelle. D'une révolution spirituelle !

Je choisis de voir l'année 2012 comme l'aube d'une nouvelle année d'alignement, car celui-ci s'accompagne d'illumination. Si vous êtes aligné sur les désirs de votre cœur, synchronisé avec la personne que vous êtes censé être et la façon dont vous êtes censé contribuer à notre terre magnifique, vous ressentirez un changement dans votre perception. Vous commencerez à remarquer des moments de ce que certaines personnes appellent la « sérendipité », mais que je me plais à appeler « le merveilleux ». Lorsque je fais tout ce que je suis censée faire pour préserver l'intégralité de mon esprit et de mon corps, je m'émerveille constamment de voir les autres expériences y contribuer. C'est comme si une certaine phrase sublime du roman de Paulo Coelho intitulé *L'Alchimiste* prenait vie : « Quand tu veux quelque chose, tout l'Univers conspire à te permettre de réaliser ton désir. »

Mon but : rester ouverte à tout ce que l'univers a à offrir. Chaque année. Chaque jour.

V oici *une des choses* que je demande souvent à Dieu : Montre-moi qui je suis réellement.

Cette requête pourra vous sembler étrange, mais plus je vis, moins je veux perdre de vue la vérité au sujet de mon existence. Une des citations que je préfère entre toutes provient du philosophe et prêtre français Pierre Teilhard de Chardin : « Nous ne sommes pas des êtres humains vivant une expérience spirituelle. Nous sommes des êtres spirituels vivant une expérience humaine. »

Rendre cette expérience aussi pertinente et aussi poétique que possible, voilà assurément le désir le plus cher à mon cœur.

Respirez un instant avec moi. Mettez les mains sur votre ventre et sentez-le se gonfler tandis que vous inspirez. Laissez-le ensuite se contracter et se dégonfler tandis que vous expirez. Ce cycle se produit, en moyenne, sept-cent-vingt fois par heure, soit plus de dix-sept-mille fois par jour – sans même que vous ayez à y réfléchir.

Il est très facile de tenir pour acquise la merveille biologique d'une respiration, mais il m'arrive de temps à autre de m'arrêter assez longtemps pour la remarquer. Et lorsque je m'y arrête, ma réaction est la suivante : Ça alors ! Je suis assurément pantoise devant le miracle qu'est la vie.

Marcher pieds nus sur une moquette terrestre de gazon fraichement tondu. Quelle sensation extraordinaire !

Une autre chose qui me soutire une exclamation : chaque soir, au coucher du soleil, des amis et des voisins se réunissent sous mon porche pour admirer ce que nous appelons le plus grand spectacle au monde. Nous prenons des photos et nous comparons les variations de couleurs de chaque spectacle de lumière à couper le souffle tandis que le soleil se couche à l'horizon.

Un jour, il n'y a pas très longtemps, il a plu sans arrêt pendant quatre heures. Une véritable douche ininterrompue, et la pluie a cessé soudainement par la suite. Sensas ! Tout – les arbres, les clôtures, le ciel – était luminescent.

La nature me fournit des spectacles à m'en couper le souffle, l'un après l'autre. Et parfois, ses plus petites offrandes sont celles qui ouvrent mon âme à sa splendeur. Pour mon anniversaire, une certaine année, une amie fleuriste qui créait des arrangements floraux spectaculaires de tous les genres possibles m'a offert un des cadeaux que je chéris le plus : deux petites feuilles en forme de cœur. Je les conserve pressées entre les pages de mon livre préféré : *A New Earth* (*Nouvelle Terre*), d'Eckhart Tolle. Chaque fois que je l'ouvre, ces feuilles me rappellent combien la vie peut être simple et belle, si on choisit de la voir ainsi.

Rechercher l'expression la plus complète de soi. Voilà toute l'histoire de ma vie résumée en huit mots – ma définition personnelle de ce qui précise mon être, du moins pour l'instant. Je la perçois comme mes mémoires abrégés, mais en les écrivant, je me rappelle que ma définition n'a jamais cessé d'évoluer. Les mots que j'aurais employés l'année dernière ne s'appliquent plus aujourd'hui. Si nous sommes réellement déterminés à grandir, nous ne cessons jamais de découvrir de nouvelles dimensions à notre personne et à l'expression de soi.

Il y a quelques années, je suis allée à Fairfield, dans l'Iowa – avec ses neuf-mille-cinq-cents habitants, cette petite ville a poussé en plein milieu des terres agricoles du Midwest –, le dernier endroit où vous vous attendriez à vous retrouver pris dans un bouchon de circulation parce que des centaines de personnes se rendaient à des exercices de méditation transcendantale. Reste que c'est ce qu'ils font à Fairfield. On désigne d'ailleurs souvent cette ville comme la TM Town (la Ville de la méditation transcendantale). L'action se déroule dans deux édifices en forme de dômes dorés : un pour les femmes, un autre pour les hommes. Ménagères, vendeuses, ingénieures, serveuses, avocates, mères, célibataires et moi – nous nous sommes toutes réunies à l'intérieur de notre dôme dans le seul but de marquer un temps d'arrêt. Sachant que le calme est là où toute expression créatrice, toute paix, toute lumière et tout amour en viennent à exister.

Ce fut une expérience puissamment énergisante, mais apaisante tout à la fois. Je ne voulais pas qu'elle se termine.

À la fin, je suis sortie du dôme avec le sentiment d'être plus remplie que lors de mon entrée. Pleine d'espoir, de contentement et d'une joie profonde. Sachant avec assurance que, même dans la folie quotidienne qui nous bombarde de toutes parts, il y a – malgré tout – la constance du calme.

Ce n'est qu'à partir de cet espace que l'on peut produire sa meilleure œuvre et sa meilleure vie.

J'essaie de m'accorder une dose saine de temps paisible au moins une fois – et si je suis fidèle à mon horaire, deux fois – par jour. Vingt minutes le matin, vingt minutes le soir. Ce temps d'arrêt m'aide à mieux dormir et à mieux me concentrer; il favorise ma productivité et alimente ma créativité.

Tentez vous-même le coup et je crois que vous serez d'accord pour dire que Glinda la bonne sorcière du *Magicien d'Oz* avait raison : « Vous avez toujours eu le pouvoir. » Il suffit de vous arrêter pour le trouver. Et lorsque ce sera fait, vous serez en route vers la découverte de l'expression la plus complète de *vous-même*.

J e me suis toujours considérée comme une chercheuse. Par cela, j'entends que mon cœur est ouvert à la possibilité de voir – sous toutes leurs formes – l'ordre divin et la perfection exquise grâce auxquels l'univers fonctionne.

Le mystère de la vie me captive. D'ailleurs, sur ma table de nuit, je garde un livre intitulé *In Love with the Mystery* (Amoureuse du mystère), d'Ann Mortifee. Ce livre abonde en photos respirant la tranquillité et en petits rappels du caractère précieux du voyage extraordinaire auquel nous participons tous.

Voici un de mes passages préférés :

« Laissez venir le pouvoir. Laissez l'extase éclater. Laissez votre cœur s'élargir et déborder d'adoration pour cette magnifique création, ainsi que pour l'amour, la sagesse et la puissance qui en sont à l'origine. Le ravissement s'impose maintenant – le ravissement, la révérence et la grâce. »

Je trouve le réconfort et l'inspiration dans ces paroles. Il nous arrive trop souvent de bloquer le pouvoir qui est toujours présent et nous est toujours accessible, parce que nous sommes tellement pris dans *le faire* que nous en perdons *l'être* de vue.

Je me demande souvent ce que Steve Jobs a vu lorsqu'il a prononcé ses dernières paroles : « Oh wow. Oh wow. Oh wow. »

Je me demande si c'était la même vision dont la mère d'un patient de vingt-six ans atteint du cancer a parlé à mon émission il y a plusieurs années. En rendant son dernier souffle, son fils a déclaré : « Oh là là ! maman, c'est tellement simple ! »

Je crois que nous rendons notre chemin beaucoup plus difficile que nécessaire. Notre combat contre *ce* qui est et notre résistance à *ce* qui est nous entrainent dans une contrariété et un chaos incessants – alors que tout est si simple. Faites pour les autres ce que vous aimeriez qu'ils fassent pour vous. Et rappelez-vous la troisième loi du mouvement de Newton : Pour chaque action, il existe une réaction égale et opposée. L'énergie que nous créons et libérons dans le monde nous sera rendue à tous les niveaux.

Dans la vie, notre tâche principale consiste à nous aligner sur l'énergie qui est à la source de toutes les énergies, et à garder nos fréquences branchées sur l'énergie de l'amour. J'en ai la certitude.

Lorsque c'est l'œuvre de notre vie, le mystère est résolu – ou, à tout le moins, le mystère ne nous mystifie plus. Il ne fait qu'accroitre le ravissement, la révérence et la grâce.

À *l'approche du jour J*, je ne pouvais m'empêcher de me réjouir en silence. Je me disais : *Je vais bientôt avoir soixante ans !* J'étais tellement heureuse d'avoir vécu assez longtemps pour prononcer ces mots et célébrer leur signification.

Je vais avoir soixante ans. Je suis vivante. En bonne santé. Forte.

Je vais avoir soixante ans, et – de grâce, ne vous en offusquez pas – je ne suis plus obligée de me préoccuper de ce que les autres peuvent penser de moi ! (Vous savez, les radotages : « Est-ce que je fais bien les choses ? » « Est-ce que je dis bien les choses ? » « Est-ce que je suis ce que je suis "censée" être ? »)

Lorsque j'ai eu soixante ans, j'ai su avec certitude que j'avais mérité le droit d'être exactement la personne que j'étais. Je me sens plus sure de moi telle que je suis que jamais auparavant.

J'ai atteint le moment que Derek Walcott décrit dans son magnifique poème intitulé « Love After Love » (L'amour après l'amour) : « [...] avec allégresse / tu t'accueilleras toi-même à ton arrivée / à ta propre porte, dans ton propre miroir / et chacun sourira de l'accueil de l'autre. »

Je m'émerveille de la manière dont mon voyage ici-bas continue de se dérouler. Ma vie est ponctuée de miracles depuis aussi longtemps que je peux me le rappeler (et même avant, si je considère que toute mon existence résulte d'ébats amoureux antérieurs sous un chêne). Le fait que j'ai pris la parole dès un jeune âge devant une Église méthodiste du Mississippi – tendances baptistes, cris et Saint-Esprit inclus – m'a préparée à un avenir consacré à parler en public, que je n'aurais jamais pu imaginer.

Et maintenant, je désire simplement partager ce que j'ai reçu. Je souhaite continuer d'encourager autant de gens que je le peux à ouvrir leur cœur à la vie, car s'il y a une chose dont je suis certaine, c'est que le fait d'avoir ouvert mon propre cœur m'a procuré mes plus grandes réussites et mes plus grandes joies.

La plus belle réalisation à mon actif est de ne jamais avoir fermé mon cœur. Même durant les instants les plus sombres de ma vie – marqués par les sévices sexuels, une grossesse à l'âge de quatorze ans, les mensonges et les trahisons –, je suis restée fidèle, remplie d'espoir et disposée à voir le meilleur chez les gens, même lorsqu'ils me montraient leurs pires côtés. J'ai continué de croire que, peu importe le degré de difficulté de l'ascension, il y a toujours moyen de laisser entrer un éclat de lumière pour qu'il illumine le sentier devant soi.

Nous traversons la vie en découvrant la vérité au sujet de la personne que nous sommes et en déterminant qui a mérité le droit de partager l'espace dans notre cœur.

Voici autre chose dont je suis certaine : Dieu – peu importe comment nous le définissons ou nous y faisons référence, même au masculin ou au féminin – agit en notre faveur. Les forces de la nature sont pour nous, nous offrant la vie en abondance. Nous, les êtres humains, réduisons le champ ouvert de l'émerveillement et de la majesté à la réalité myope de nos expériences de tous les jours. Reste qu'il y a de l'extraordinaire dans l'ordinaire.

Certains jours, la conscience de la sainteté et du caractère sacré de la vie me fait tomber à genoux de gratitude. J'essaie encore de concevoir que la petite fille du Mississippi qui a grandi en se pinçant le nez dans les toilettes extérieures vole maintenant à bord de son propre avion – mon propre avion ! – vers l'Afrique afin de venir en aide à des filles qui ont grandi dans un contexte comparable au sien. *Grâce infinie de notre Dieu !*

Je me suis approchée du jalon de la soixantaine avec humilité, une gratitude suprême et joie. Sachant avec certitude que *de tous les dangers sa grâce m'a secourue… amour divin, grâce infinie.*

La clarté

─── 🐉 ───

« Dis-toi d'abord ce que tu veux être,
puis fais ce qu'il faut pour le devenir. »
—Épictète

J'*ai mis quarante ans* à apprendre à dire non. Au cours de mes premières années à la télévision, cela me déconcertait de constater que les gens me percevaient comme une aide-soignante bienveillante. Certaines personnes dépensaient jusqu'à leur dernier centime pour s'acheter un billet de bus afin de se rendre jusqu'à moi, des enfants faisaient des fugues, des femmes violentées quittaient leur mari et venaient se présenter à la porte de mon studio, tous dans l'espoir que je leur vienne en aide. À l'époque, je passais énormément de temps à essayer de retourner une jeune fille auprès de sa famille ou à parler au téléphone avec une personne qui menaçait de se suicider. J'ai émis chèque après chèque. Au fil du temps, tout cela a miné mon moral. J'étais tellement occupée à m'efforcer de donner à tout un chacun ce dont il croyait avoir besoin de ma part que j'en ai perdu de vue ce que je désirais réellement donner. Le désir de plaire m'avait consumée, et le mot « oui » sortait souvent de ma bouche avant même que je m'en rende compte.

Je sais précisément d'où me venait cette maladie. Le fait d'avoir grandi en étant violentée m'a empêchée d'apprendre à imposer mes limites. Si vos limites personnelles ont été transgressées durant l'enfance, il vous sera difficile de retrouver le courage d'empêcher les gens de vous marcher dessus. Vous redouterez que l'on rejette la personne que vous êtes réellement. Pendant des années, j'ai donc passé ma vie à donner tout ce que je pouvais à presque tous les gens qui me le demandaient. Je m'épuisais à force d'essayer de satisfaire les attentes de tout un chacun quant à ce que je devais faire et à qui je devais être.

Ce qui m'a guérie, c'est de saisir le principe de l'intention. Je citerai de nouveau Gary Zukav, qui a écrit dans son livre *Le Siège de l'Âme* : « L'intention est à la source de toute action, de toute pensée et de tout sentiment, et cette intention est une cause qui s'accompagne d'un effet. Si nous prenons part à la cause, il nous est impossible de ne pas participer à l'effet. Ainsi, nous sommes tenus pour responsables de chacune de nos actions, de chacune de nos pensées et de chacun de nos sentiments. Autrement dit, de chacune de nos intentions » (traduction libre).

Je me suis donc mise à examiner l'intention qui sous-tendait mes oui alors que je désirais dire non en réalité. Je disais oui aux gens afin qu'ils ne se fâchent pas contre moi, pour qu'ils me trouvent gentille. Mon intention était d'amener les gens à se dire que j'étais la personne vers qui ils pouvaient se tourner, sur qui compter, à la dernière minute, coute que coute. Et ce qui devait arriver est arrivé : une pluie de requêtes s'est abattue sur toutes les sphères de ma vie.

Peu après que j'ai commencé à m'en rendre compte, j'ai reçu l'appel téléphonique d'une personne très célèbre qui désirait que je fasse un don à son œuvre de bienfaisance. Cet homme sollicitait une somme considérable, et je lui ai répondu que je devais y réfléchir. Voici le fruit de ma réflexion : *S'agit-il d'une cause à laquelle je crois véritablement ?* Non. *Est-ce que je crois vraiment que le fait d'émettre un chèque changera réellement quoi que ce soit à la situation ?* Non. Alors, pourquoi le ferais-je ? *Parce que je ne veux pas que cette personne me croie chiche.* Or, cette raison ne me satisfaisait plus.

J'ai alors mis quelques engagements par écrit, que je garde maintenant sur mon bureau : « Jamais plus je ne ferai quoi que ce soit pour qui que ce soit sans avoir le sentiment que cela vient directement de mon cœur. Je n'assisterai à aucune réunion, je ne ferai aucun appel téléphonique, je n'écrirai aucune lettre, je ne parrainerai aucune activité ni y participerai sans que chaque fibre de mon corps fasse écho à mon oui. Je vais agir avec l'intention d'être fidèle à moi-même. »

Avant de dire oui à qui que ce soit, demandez-vous d'abord : Quelle est mon intention véritable ? Celle-ci devrait provenir de la partie la plus pure de vous-même, et non de votre tête. Si vous devez demander des conseils, accordez-vous le temps de laisser un oui ou un non résonner en vous. Lorsque ce sera la chose à faire, tout votre corps le ressentira.

Ce dont je suis certaine, c'est que je devais d'abord savoir clairement qui j'étais avant de pouvoir vaincre la maladie du vouloir plaire. Une fois que j'ai eu accepté que j'étais une personne bien, gentille et généreuse – que je dise oui ou non –, je n'ai plus eu quoi que ce soit à prouver. J'ai déjà redouté que les gens se disent :

« Mais pour qui se prend-elle ? » J'ai toutefois maintenant le courage de prendre position en déclarant : « *Voilà* qui je suis. »

Je suis loin d'être aussi stressée que les gens pourraient l'imaginer. Au fil des ans, j'ai appris à concentrer mon énergie sur le présent, à prendre pleinement conscience de ce qui se passe à l'instant même et à ne pas me préoccuper de ce qui aurait dû se produire, de ce qui cloche ou de ce qui risque d'arriver par la suite. Et comme j'en ai beaucoup à gérer, si je n'avais pas trouvé le moyen de décompresser, je serais totalement inefficace – et probablement un peu folle aussi.

Aucun d'entre nous n'a la force nécessaire pour être continuellement à la course. Voilà pourquoi, si nous ne nous accordons pas le temps et les soins dont nous avons besoin, notre corps se rebellera sous forme de maladie et d'épuisement. Comment me rendre mes bontés ? Rares sont les journées où je n'ai pas de conversation cœur à cœur avec Gayle. Presque tous les soirs, je savoure un bon bain chaud et je m'allume une ou deux bougies. Cela peut sembler tiré par les cheveux, mais le fait de me concentrer sur une bougie allumée pendant une minute tout en respirant à fond produit sur moi un effet très apaisant. Le soir, juste avant de m'endormir, je ne lis rien et je ne regarde rien – y compris les actualités en fin de soirée – qui soit susceptible de m'angoisser. Et comme je n'aime pas faire de mauvais rêves, je protège mon sommeil en réglant les situations pénibles pendant la journée. Je tiens également un journal de gratitude et, à la fin de ma journée de travail, je me détends en lisant un excellent roman ou simplement en m'assoyant seule avec moi-même pour me recentrer – c'est ce que j'appelle «donner un répit à mon esprit».

En tant que femmes, nous avons été programmées de manière à tout sacrifier au nom de ce qui est bien et juste pour tout le monde.

Et puis, s'il nous reste un petit quelque chose pour nous-mêmes, il se peut que nous en obtenions une partie. Nous devons nous déprogrammer. Je sais avec certitude qu'il est impossible de donner ce que l'on n'a pas. Si vous vous laissez dépouiller au point que votre réservoir émotionnel et spirituel se vide complètement et que vous n'avez plus de carburant pour aller de l'avant, tout le monde y perdra. Surtout vous-même.

J'ai un jour enregistré une émission dans laquelle un coach de vie abordait la nécessité de bien prendre soin de soi-même – faire passer ses propres besoins avant ceux de qui que ce soit d'autre –, et l'auditoire l'a hué. La simple suggestion qu'elles fassent passer leurs besoins avant ceux de leurs enfants contrariait certaines femmes. Je les ai donc interrompues pour leur expliquer une chose : Personne ne vous dit que vous devriez abandonner vos enfants et les laisser crever de faim. Le coach de vie vous suggérait de prendre soin de vous-même afin de pouvoir mieux prendre soin de ceux qui ont le plus besoin de vous. Il s'agit de la théorie du masque à oxygène en avion : si vous ne mettez pas votre masque en premier, vous ne serez pas en mesure de sauver qui que ce soit d'autre.

Alors, arrêtez-vous et examinez vos propres besoins. Donnez un répit à votre esprit. Allez-y. Et rappelez-vous que l'instant présent est le seul que vous savez avoir avec certitude.

C e dont je suis certaine, c'est que notre respiration est notre ancre, le don que l'on nous a fait – que nous avons tous reçu, afin de nous centrer nous-mêmes sur l'instant présent. Chaque fois que j'ai une rencontre qui génère la moindre tension, je m'arrête, j'inspire profondément et j'expire. Avez-vous déjà remarqué combien il vous arrive souvent de retenir votre souffle ? Une fois que vous aurez commencé à y prêter attention, vous vous étonnerez peut-être de constater combien de tension vous retenez en vous-même. Rien ne saurait être plus efficace qu'une lente inspiration profonde et son expiration pour relâcher ce que l'on ne peut maitriser et pour se concentrer de nouveau sur ce qu'il y a tout juste devant soi.

J' *ai un aveu à vous faire :* J'ai peur de voler au-dessus de l'océan. Même si j'entreprends chaque vol par la foi, une foi en quelque chose de plus grand que moi – l'aéronautique, Dieu –, le fait de voler au-dessus de l'océan s'avère particulièrement déconcertant. (Je ne suis pas très bonne nageuse.) Par contre, lorsque je dois traverser des continents, je le fais tout simplement, car je tiens à transcender ma peur.

J'ai acheté une maison juchée sur une montagne d'Hawaï parce que c'était ainsi que j'imaginais le paradis. Je savais que chaque fois que j'allais devoir traverser le Pacifique pour y accéder, j'aurais à surmonter ma peur.

Le lendemain de Noël, il y a quelques années, mon vol avait duré assez longtemps pour que nous sortions le jeu de Scrabble et que nous commencions à réfléchir au déjeuner. Urania, la femme de mon ami Bob Greene, avait emporté des restants du diner de Noël.

« Je ne veux plus de purée de pommes de terre, lui ai-je dit. Je ne vais prendre que de la dinde – de la viande brune, de préférence – et des haricots verts. »

Notre hôtesse de l'air, Karin, s'est alors penchée au-dessus de la table. Je croyais qu'elle allait dire : « Il ne reste plus de viande brune », mais au lieu de cela, elle nous a annoncé calmement : « Il y a une petite fissure dans la vitre du cockpit; nous allons devoir faire demi-tour. »

« Oh ! » lui ai-je répondu.

« Le capitaine souhaite que vous boucliez votre ceinture et que vous vous prépariez à utiliser les masques à oxygène. »

« Les masques à oxygène ? Qu'est-ce qui va arriver à mes chiens ? » Ils se prélassaient à proximité.

« Ils n'en souffriront pas, m'a dit Karin. Nous allons maintenant descendre jusqu'à trois-mille mètres d'altitude. »

Je pouvais sentir mon cœur battre la chamade et mon ton de voix monter, même si je m'efforçais d'imiter son calme. C'était la débandade dans mon esprit : *Oxygène ! Danger ! Oxygène ! Danger ! Je ne sais pas nageeeeer. Oh ! mon Dieu !*

Je me suis tue, mais Karin m'a dit plus tard que j'avais les yeux aussi gros que des prunes. Stedman, solide comme le béton, m'a pris la main, m'a regardée droit dans les yeux et m'a dit : « Tout va bien aller. Dieu ne t'a pas conduite jusqu'ici pour te laisser tomber maintenant. Ne l'oublie pas. »

La fissure s'était agrandie et avait fracassé tout le côté gauche de la vitre. Nous pouvions le voir depuis nos sièges. Houhouu, paf, houhouu, paf. Je connais tous les bruits courants de cet avion, et ce que j'entendais cette fois-là était différent. Or, je n'aime pas entendre quoi que ce soit de différent à douze-mille mètres d'altitude.

« C'est quoi ce bruit-là, Karin ? »

« Nous dépressurisons la cabine, nous perdons rapidement de l'altitude et ce son est celui de la pompe à oxygène. Les pilotes portent leur masque à oxygène, juste au cas où. »

Je ne lui ai pas demandé : «Juste au cas où *quoi* ? » parce que nous connaissions déjà tous la réponse à cette question. Juste au cas où la vitre s'envolerait.

Les pilotes, Terry et Danny, ont fait faire demi-tour à l'avion, et j'ai consulté l'heure : il restait vingt-sept minutes avant l'atterrissage. Je me suis alors dit : *Et si j'avais écouté ma voix intérieure et n'avais pas pris l'avion aujourd'hui ?* Plusieurs fois ce matin-là, j'avais voulu annuler mon vol. Je m'étais sentie déséquilibrée, pressée. J'avais téléphoné à Bob Greene pour lui dire : «Il se peut que je ne parte pas aujourd'hui. »

«Pourquoi ? » m'avait-il demandé.

«Je ne le sens pas. Qu'en penses-tu ? »

«Je crois que tu devrais consulter ta voix intérieure, qui est fiable. »

J'avais pris un bain, car c'est dans la baignoire que je réfléchis le mieux, et j'en étais sortie prête à téléphoner aux pilotes pour remettre mon voyage à plus tard. Puis je m'étais ravisée. J'avais fait taire cette impression. Si je ne l'avais pas fait, la vitre du cockpit se serait-elle fissurée malgré tout ? Cela ne fait aucun doute. Mais aurions-nous été au-dessus de l'océan, où il n'y a nulle part où atterrir ?

J'ai consulté l'heure de nouveau : il restait vingt-six minutes et douze secondes avant l'atterrissage.

J'allais perdre la raison si je continuais à regarder l'heure, si bien que je me suis mise à lire. Je n'ai pas tardé par la suite à ressentir un grand calme. Tout ira bien, peu importe l'issue de la situation. Les *houhouu* et les *paf* sont devenus une source de réconfort : Oxygène ! Vie ! Oxygène ! Vie !

Bien entendu, nous avons atterri en toute sécurité. On a fait remplacer la vitre du cockpit et le lendemain, les pilotes m'ont dit : « Nous pourrons voler de nouveau lorsque vous le voudrez. » Ai-je osé voler au-dessus de l'océan si tôt après ? Quelle leçon avais-je à tirer de cette situation ? L'avais-je comprise ?

Ce dont je suis certaine, c'est que si notre GPS intérieur est instable, c'est que les ennuis nous guettent. Notre instinct, c'est notre boussole. Cela, je l'ai compris. Je le comprends. J'en suis certaine. Bien haut dans les airs, j'ai redécouvert l'importance de faire taire les distractions pour me mettre à l'écoute de moi-même.

Une des questions les plus importantes qu'une femme puisse se poser est la suivante : Qu'est-ce que je veux réellement – et qu'est-ce que mon esprit me dit être la meilleure voie à emprunter ?

Ma réponse a fini par me conduire vers ma passion pour servir les femmes et les filles. Je comprends très bien ce que c'est que d'avoir subi des sévices ou d'avoir grandi dans la pauvreté, et je crois que l'éducation est la porte qui donne sur la liberté. J'ai commencé à me rendre compte que, pour être plus efficace, je devais me concentrer à l'extrême sur la nécessité de faire bon usage de mon temps, de mon intérêt, de mes ressources et de ma compassion afin d'édifier une génération de femmes courageuses qui s'appartiennent à elles-mêmes et qui connaissent leur force. Je me savais dans l'impossibilité de sauver tous les enfants à l'agonie et d'intervenir dans tous les cas de mauvais traitements. Aucun d'entre nous ne le peut. Par contre, une fois que j'ai eu clairement compris ce que je désirais le plus donner, une grande partie de ce qui n'était pas aligné sur cette intention a disparu d'elle-même.

Toutes ces années passées à acquérir la concentration m'ont enseigné une grande leçon au sujet de la nécessité de laisser aller les pressions et les distractions extérieures pour me concentrer plutôt sur ma voix intérieure – cette petite idée qui me dit : *Un instant. Il y a quelque chose qui cloche dans l'histoire. Arrête-toi et rajuste le tir.* Pour moi, le doute est souvent synonyme de la nécessité de ne pas aller de l'avant. Ne bouge pas. Ne réponds pas. Ne te presse pas de réagir. Lorsque je suis la proie de l'incertitude quant au pas suivant à franchir, lorsque l'on me demande de faire quelque chose qui m'enthousiasme peu, c'est le signe que je dois m'arrêter tout simplement – et ne rien faire avant que mon instinct me donne le feu vert. Je crois que cette incertitude correspond au moyen pour mon esprit de me murmurer : *Je suis déstabilisé. Je ne peux pas décider à ta place. Il y a quelque chose en déséquilibre ici.* Je le prends comme un indice m'incitant à me recentrer avant de prendre une décision. Lorsque l'univers me pousse dans la direction du meilleur chemin à emprunter, il ne me laisse jamais avec un «peut-être» ou un «devrais-je?» Lorsqu'il m'incite à passer à l'action, je suis toujours certaine qu'il s'agit de la voie à emprunter, car tout en moi s'élève pour faire écho à un «Oui!».

Vers mon cinquantième anniversaire de naissance, j'ai commencé à être plus consciente du temps qui passe que jamais auparavant. J'ai ressenti une compréhension presque viscérale du fait qu'il ne me restait pas un temps infini, et cet entendement a influencé tout ce que je faisais, me dictant mes réactions de tous les instants. Il m'a rendue plus consciente de chaque expérience de vie, de chaque éveil, et plus reconnaissante pour eux (*Ça alors! je suis encore là; j'ai encore la chance aujourd'hui de bien faire les choses!*). J'essaie encore de vivre pleinement toutes mes expériences, même les négatives. Je prends le temps, même s'il ne s'agit que d'une minute le matin, de respirer lentement et de me laisser ressentir la connexion avec toutes les autres énergies qui respirent et qui vibrent dans ce bas monde et au-delà. Je me suis rendu compte que le fait de reconnaitre ma propre relation avec l'infini rend ce qui est fini plus acceptable.

Ce dont je suis certaine, c'est que le fait de s'accorder le temps de simplement exister est primordial pour accomplir sa mission en tant qu'être humain. Je m'accorde donc mes dimanches. Il m'arrive parfois de passer toute la journée en pyjama, d'autres fois je vais à l'église sous mes arbres pour y communier avec la nature. La plupart du temps, je me contente de ne rien faire – le farniente, comme je l'appelle – et je laisse mon cerveau et mon corps décompresser. Chaque fois que j'ai négligé de le faire et manqué un dimanche, j'ai remarqué un changement frappant dans ma disposition d'esprit pendant le reste de la semaine. Je sais avec certitude qu'il est impossible de donner à tout le monde et ne rien se donner en retour. En agissant de la sorte, vous finirez par être épuisé ou, dans le meilleur des cas, moins en forme que vous pourriez l'être pour vous-même, votre famille et votre travail. Remplissez le puits qui est en vous, pour vous-même. Et si vous constatez que vous n'avez pas le temps de le faire, ce que vous dites en réalité, c'est : « Je n'ai pas de vie à donner ni à vivre pour moi-même. » Et si vous n'avez pas de vie à vivre pour vous-même, alors pourquoi êtes-vous là ?

Il y a environ une décennie, j'ai appris une grande leçon. Le téléphone sonnait le dimanche, alors que j'avais mis cette journée de côté pour moi-même. Je répondais, mais j'étais agitée et contrariée de ce qu'on me téléphone. Stedman m'a dit à l'une de ces occasions : « Si tu n'as pas envie de parler, alors pourquoi est-ce que tu continues de répondre au téléphone ? » Un moment eurêka : ce n'est pas parce que le téléphone sonne que je dois forcément y répondre. À moi de choisir ce que je veux faire de mon temps. C'est ce que nous faisons tous, même si les choses semblent échapper à notre volonté. Protégez votre temps. C'est de votre vie qu'il s'agit.

I*l nous arrive souvent d'insister* pour posséder tout ce qu'il y a de mieux parce que c'est le seul moyen de nous assurer « une qualité de vie ». Je peux me négliger de toutes les autres façons, mais si je possède la meilleure montre, le portefeuille le mieux garni, la voiture la plus performante ou la plus grande propriété, je risque de me dire que je suis la meilleure et que je mérite d'avoir encore plus de ce qu'il y a de mieux.

Ce dont je suis certaine, c'est que d'avoir les meilleures *choses* ne remplacera néanmoins jamais le fait d'avoir la meilleure *vie*. Si vous parvenez à renoncer au désir d'acquérir des choses, vous saurez que vous progressez très bien dans la bonne voie.

*J*e *n'aurais jamais cru m'entendre dire* ceci un jour, mais j'en suis venue à aimer lever des poids. Le sentiment de force et de discipline que me procurent mes muscles lorsqu'ils sont obligés de résister me ravit. Mieux encore, le fait de lever des poids m'a enseigné quelque chose au sujet de la vie.

J'ai essayé de varier mes horaires – d'en lever chaque jour, tous les deux jours, pendant deux jours consécutifs en faisant une pause le troisième jour. La méthode quotidienne était la moins efficace, car ce genre d'activité constante a pour effet d'endommager le tissu musculaire. Il en va de même pour l'esprit. Si vous ne vous accordez pas la chance de refaire le plein d'énergie, vous commencerez à abîmer toutes les fibres de votre vie.

Toujours veiller à tout, c'est stressant. Il faut se réserver des moments de repos. J'ai déjà dit à mon assistante que ce n'était pas parce que j'avais dix minutes à moi dans mon emploi du temps que je voulais qu'elles soient occupées. « Mettons en pratique ma philosophie », lui ai-je dit. Cela laissait entendre que le temps nécessaire pour reprendre mon souffle devait faire partie de mon programme de la journée.

Je me suis donc mise à prévoir de courts moments de calme – des instants durant lesquels je ne fais rien pendant au moins dix minutes. Il m'arrive parfois de simplement caresser le ventre de mon chien ou de m'amuser un peu à lui faire rapporter quelque chose. Ou encore, je vais me promener à pied ou je reste assise tranquille à mon bureau. Cela fonctionne à merveille. Chaque fois que je m'accorde ces petites pauses, je découvre que j'ai plus d'énergie et que je suis de meilleure humeur pour accomplir tout ce qui m'attend par la suite.

Ce dont je suis certaine, c'est que quelques instants de restauration s'avèrent très profitables. Je ne me sens pas le moins du monde coupable de m'accorder ce temps. Je refais le plein de manière à ce que lorsque la prochaine phase débutera, je sois en grande forme et prête à passer à l'attaque. Pleinement restaurée.

J' *ai toujours cru savoir* en quoi il était primordial de faire de l'exercice – pour ne pas avoir de grosses fesses –, mais je n'ai jamais compris la *véritable* raison avant de me rendre à Johannesburg en 2005. Je visitais la Leadership Academy for Girls, l'école que je faisais bâtir à l'époque, et je savais mon agenda très chargé. À mon arrivée, je souffrais du décalage horaire, si bien qu'à sept heures le lendemain matin, j'ai choisi de ne pas me lever pour faire de l'exercice. Je suis restée au lit à la place pendant une heure supplémentaire, afin de me permettre de récupérer un peu plus. C'est l'excuse que je me suis fournie le premier jour. Arrivée au troisième jour, j'en rendais le tapis roulant responsable. Je ne l'aimais pas, car il n'absorbait pas assez bien ma foulée pour préserver l'état de mes genoux. Après avoir passé trois jours sans faire d'exercice, ma détermination à garder la forme s'est dissipée. C'était plus facile de me mentir à moi-même : *Je suis trop fatiguée, trop occupée, je n'ai pas assez de temps.* Toutes ces excuses font partie de la spirale descendante.

Malheureusement pour moi, la détermination à faire de l'exercice est directement liée à celle à bien s'alimenter – si l'une est négligée, l'autre l'est également.

La nourriture de l'hôtel ne me plaisait pas, si bien que j'ai demandé que l'on me serve exceptionnellement quelque chose que n'importe qui peut faire : de la purée de pommes de terre. Les chefs n'ont eu aucune difficulté à m'en faire. J'ai donc mangé de la purée de pommes de terre et du pain chaque soir pendant toute la durée de mon séjour là-bas, soit durant dix jours. Or, pour moi, dix jours passés à consommer des aliments dont l'indice glycémique est élevé et à m'abstenir de faire de l'exercice équivalent à la prise de quatre kilos.

Pour rajouter au gain de poids, il y avait l'état dans lequel je me sentais. Épuisée. Léthargique. Je me suis soudain mise à éprouver des douleurs et des tensions dont je ne connaissais même pas l'existence.

Eurêka ! J'ai fini par comprendre : si nous prenons bien soin de notre corps et nous le soutenons, il nous rend la pareille. Or, que cela nous plaise ou non, c'est l'exercice qui est à la base de ce soutien. L'avantage primordial de l'exercice se traduit par une plus grande énergie; la maitrise du poids vient en prime. Ce dont je suis certaine, c'est que le fait de prendre soin de son corps, coute que coute, constitue un investissement au rendement inestimable.

P armi *les nombreuses choses* que j'ai apprises en lisant *Nouvelle Terre*, d'Eckhart Tolle, il y a cette vérité : je ne suis pas mon corps. Après avoir attentivement étudié les idées de Tolle, je me suis sentie beaucoup plus connectée à ma conscience, ou mon âme, mon esprit intérieur – peu importe le nom que l'on choisit de donner à l'être immatériel qui constitue l'essence de notre personne. J'ai réfléchi à toutes les années que j'avais gaspillées à détester me voir grosse et à me vouloir mince ; à me sentir coupable de chaque croissant que je mangeais, puis à renoncer aux glucides, ensuite à jeuner, à suivre des régimes amaigrissants, et à m'inquiéter lorsque je *ne* suivais *pas* de régime amaigrissant, puis à manger tout ce que je voulais jusqu'au régime suivant (le lundi ou après les fêtes ou le grand évènement suivant). Tout ce gaspillage de temps, à exécrer la simple idée d'essayer des vêtements, à me demander dans quoi j'allais entrer, le poids que mon pèse-personne m'indiquerait. Toute cette énergie dépensée qui aurait pu servir à aimer ce qui est.

Qui je suis, qui vous êtes… Ce dont je suis certaine, c'est que nous ne sommes pas notre corps ou l'image que nous nous en faisons. Comme ce à quoi l'on accorde son attention parait plus grand – littéralement, dans le cas qui nous intéresse ici –, mon obsession du poids a eu pour effet en définitive de me faire engraisser. Je peux regarder une photo prise à n'importe quelle époque de ma vie, et la première chose qui me vient à l'esprit n'est pas l'expérience ou l'évènement immortalisé, mais mon poids ou ma taille, car c'est ainsi que je me percevais (et me jugeais) – par le prisme des chiffres. Quelle perte de temps !

J'en ai fini de consulter le pèse-personne. Je ne permettrai plus jamais à un chiffre de me dicter ma perception de moi-même et de déterminer si je mérite d'avoir une bonne journée. Le fait de reconnaitre combien cela me rendait superficielle et mesquine fut une révélation pour moi. Vous n'êtes pas votre corps, et vous n'êtes assurément pas votre image corporelle.

J e m'efforce de ne pas perdre mon temps, car je ne veux pas me perdre moi-même. Je m'efforce de ne pas laisser les gens qui ont une énergie sombre consumer une seule des minutes que je passe ici-bas. Je suis allée à la dure école pour l'apprendre, après avoir donné en vain de moi-même et de mon temps, qui sont synonymes si l'on y pense bien. L'expérience que j'ai faite de l'égo dysfonctionnel de certaines personnes m'a enseigné que leur côté obscur nous dérobe notre lumière – la lumière dont nous avons besoin pour nous-mêmes et les autres. Ce dont je suis certaine, c'est que ce à quoi nous accordons notre temps nous définit. Et je tiens à ce que ma lumière brille pour le bien.

Oui, je le reconnais volontiers : je possède trop de chaussures. Je possède également trop de jeans, et une panoplie exceptionnelle de jupes noires griffées, de taille moyenne à élastique. J'ai aussi des débardeurs, des teeshirts et des pulloveurs. Autrement dit, je possède trop de choses, ce qui est problématique. J'ai donc commencé à me poser la question suivante : Mes biens matériels me procurent-ils plus de joie, de beauté et de bienêtre ou sont-ils simplement un fardeau ?

Or, j'ai décidé de ne conserver que les choses qui me ravissent ou qui améliorent mon bienêtre. Le spécialiste de l'organisation Peter Walsh dit dans son livre intitulé *Enough Already!* (Ça suffit !) que nos maisons «débordent de choses et [notre] vie est encombrée des promesses vides que ces choses n'ont pas réalisées. [...] En achetant ce que nous désirons, nous espérons acquérir la vie que nous recherchons. [...] [Mais] la poursuite de la vie à laquelle nous aspirons en accumulant toujours plus de choses constitue un cul-de-sac. »

Ce dont je suis certaine, c'est que le fait de posséder plus de choses ne nous fait pas nous sentir plus vivants. Par contre, le fait de nous sentir plus vivants contribue à nous réaliser en conformité avec les personnes que nous sommes véritablement. Voilà la raison pour laquelle nous sommes d'ailleurs tous ici-bas.

L'excès de biens matériels va beaucoup plus loin que des objets eux-mêmes. Bien que nous sachions devoir renoncer à ces choses, cela nous angoisse. Je sais toutefois que le fait de renoncer à certaines d'entre elles laisse le champ libre à d'autres choses. Et cela vaut non seulement pour notre relation avec les chaussures, mais aussi pour celle que nous entretenons avec toutes choses. Faire le ménage de la maison – tant au sens littéral que figuré – constitue un excellent moyen de repartir à neuf.

Il existe toutes sortes de moyens de désengorger sa vie, et ils n'ont rien à voir avec le simple fait de donner des chaussures.

Dites adieu de bon gré aux décisions qui ne vous encouragent pas à prendre bien soin de vous-même, à vous valoriser et à vous traiter avec respect.

Demandez-vous si les gens de votre entourage vous procurent de l'énergie et favorisent votre croissance personnelle ou freinent cette croissance au moyen de dynamiques dysfonctionnelles et de vieilles idées fixes. S'ils n'appuient pas la personne aimante, ouverte, libre et spontanée que vous êtes, dites-leur adieu !

Mettez fin aux schémas de stagnation qui ne vous servent plus.

Au boulot, réduisez non seulement le « fatras » de l'inefficacité, mais cherchez également à vous créer une charge de travail équilibrée et à rendre votre travail revigorant, inspirant, collaboratif et dynamisant pour les autres.

Je tiens à voyager léger et libre à l'avenir, à dépoussiérer mes ailes. Je suis certaine que cela m'aidera à voler avec plus de facilité. À bas tout ce qui ne rehausse pas ce que nous sommes réellement ! Le désengorgement réel de notre vie est un processus qui ne cesse d'évoluer tandis que nous devenons de plus en plus la personne que chacun de nous est censé être.

Et dire adieu à l'excès de chaussures constitue un très bon point de départ.

Le pouvoir

———— ⟨⟨⟨ ————

« Quand on est plus avisé, on réussit mieux. »
—Maya Angelou

C haque fois que j'entends la chanson de Paul Simon intitulée
«Born At The Right Time» (Né au bon moment), j'ai l'impression qu'il parle de ma vie. Je suis venue au monde en 1954 dans l'État du Mississippi, où l'on a lynché plus de gens que dans tout autre État de l'Union. À une époque où un Noir marchant dans la rue en se mêlant de ses affaires pouvait s'attirer les accusations ou la foudre capricieuse de n'importe quel membre de la société blanche. En ces temps-là, avoir un bon emploi voulait dire travailler pour une «gentille» famille de Blancs qui avait au moins la décence de ne pas vous traiter de nègre en face. C'était l'époque où Jim Crow gouvernait, la ségrégation régnait et les professeurs noirs, à peine éduqués eux-mêmes, étaient obligés d'utiliser de vieux manuels dont les écoles de Blancs s'étaient débarrassées.

Par contre, l'année de ma naissance, un vent de changement a commencé à souffler. En 1954, se fondant sur l'affaire *Brown v. Board of Education*, la Cour suprême a statué que les Noirs avaient droit à l'éducation. Or, ce jugement a donné l'espoir d'une vie meilleure aux Afro-Américains de partout.

J'ai toujours estimé que le libre arbitre était un droit de naissance, s'inscrivant dans la destinée que l'univers nous a réservée. Et je sais que chacun aspire à la liberté. En 1997, tandis que je me préparais à jouer le rôle de Sethe dans le film *La Bien-aimée*, j'ai organisé un petit voyage sur un segment du chemin de fer clandestin. Je tenais à faire moi-même l'expérience de ce qu'ont pu ressentir les esclaves qui erraient dans les bois, à chercher leur chemin vers le nord, où les attendait une vie au-delà de l'esclavage. Une vie dans laquelle la liberté signifiait, en son sens le plus fondamental, le fait de ne pas avoir de maitre pour se faire dire quoi faire. Par contre, lorsque l'on ma bandé les yeux, que l'on m'a emmenée dans les bois et que l'on m'y a laissée seule à me demander quelle direction me conduirait jusqu'au prochain « lieu sûr », c'est alors que j'ai compris pour la première fois que la liberté n'avait rien à voir avec le fait de ne pas avoir de maitre. La liberté a tout à voir avec le fait d'avoir le choix.

Dans ce film, Sethe explique ce qu'elle éprouvait en se frayant un chemin vers la liberté : « On aurait dit que je les [mes enfants] aimais plus une fois ici. C'est peut-être parce que je savais que tant que je serais au Kentucky […] ils ne seraient pas miens à aimer. […] Parfois, c'est bête, mais j'entendais mes petits qui s'amusaient et riaient, d'un rire étrange que je n'avais jamais entendu auparavant. Au début, j'avais peur, peur que quelqu'un les entende et s'en prenne à eux. Je me suis rappelé que même s'ils riaient si fort qu'ils avaient mal, eh ben, ce serait leur seule souffrance de la journée. » Elle dit également : « Je me réveillais le matin et je pouvais *moi décider* : décider ce que j'allais faire de ma journée », comme si elle pensait : *Imagine un peu, moi décider.*

Durant le tournage, j'ai répété ces répliques à maintes reprises, en ressentant la force qu'elles véhiculaient. Au cours des années qui se sont écoulées depuis, les paroles de Sethe me sont restées en mémoire – et elles me procurent de la joie tous les jours. Il arrive parfois qu'elles occupent mes premières pensées avant même le saut du lit. Je peux me réveiller le matin et décider ce que je vais faire de ma journée – *imagine un peu, moi décider.* Quel cadeau !

Ce dont je suis certaine, c'est que nous devons tous chérir ce présent, nous en délecter plutôt que de le tenir pour acquis. Après avoir entendu des centaines d'histoires atroces provenant des quatre coins du monde, je sais que, si vous êtes née aux États-Unis, vous comptez parmi les femmes les plus chanceuses de la terre. Alors, saisissez votre chance pour élever votre vie à la hauteur de votre vocation la plus noble. Comprenez bien que le droit de choisir votre voie constitue un privilège sacré. Prévalez-vous-en. Tirez avantage des possibilités qui s'offrent à vous.

J' *ai toujours été* casanière. Je sais que cela vous semblera peut-être difficile à croire, compte tenu de mon emploi du temps chargé, mais j'ai pour habitude de rentrer à la maison directement du bureau, de terminer mon diner avant dix-neuf heures et de me coucher au plus tard à vingt-et-une heures trente. Même le weekend, c'est l'endroit où je préfère être. Étant donné que j'ai passé le plus clair de ma vie d'adulte sur le devant de la scène, il m'importe de me réserver un espace privé. Un refuge. Un lieu sûr.

Il y a plusieurs années, Goldie Hawn m'a dit qu'elle s'était créé son propre havre de paix en déclarant que sa maison serait une zone sans potins. Dans le cadre de son travail pour Words Can Heal (Les paroles peuvent guérir), une campagne nationale visant à éliminer la violence verbale, elle et sa famille se sont engagées à remplacer les paroles qui dénigrent et causent du tort par celles qui encouragent et édifient. Son choix de prononcer des paroles réconfortantes est d'ailleurs conforme à une vérité que Maya Angelou m'a transmise un jour : « Je suis convaincue que le négatif a du pouvoir – et si tu lui permets d'élire domicile chez toi, dans ton esprit, dans ta vie, il risque de se rendre maitre de toi. Les paroles négatives s'immiscent dans les boiseries, dans les meubles et, avant même que tu t'en rendes compte, tu les retrouves sur ta peau. Les propos négatifs ne sont que pur poison. »

Je suis bien placée pour savoir combien les paroles négatives peuvent être blessantes. Tôt dans ma carrière, lorsque les tabloïdes ont commencé à imprimer des faussetés sur mon compte, j'en ai été anéantie. Je me suis sentie terriblement incomprise. Et j'ai gaspillé énormément d'énergie à redouter que les gens donnent foi à ces mensonges. Je devais combattre le désir pressant de téléphoner à la personne qui m'avait diffamée pour me défendre contre ses allégations.

C'était avant que j'en vienne à saisir ce dont je suis certaine aujourd'hui : lorsqu'une personne répand des mensonges à notre sujet, le problème est le sien. Toujours. Les potins – qu'ils prennent la forme d'une rumeur s'étendant à toute la nation ou d'une séance de rogne entre amis – reflètent l'insécurité de ceux qui en sont à l'origine. Il arrive souvent que, lorsque nous tenons des propos négatifs dans le dos des autres, ce soit parce que nous désirons nous sentir puissants – et cela s'explique habituellement par le fait que, d'une certaine manière, nous nous sentons impuissants, indignes et trop lâches pour user de franchise.

Les paroles blessantes envoient comme message – tant à nous-mêmes qu'à ceux avec qui nous les partageons – que l'on ne peut pas nous faire confiance. Si une personne est disposée à démolir une « amie », pourquoi ne serait-elle pas prête à en dénigrer une autre ? Nos potins indiquent que nous n'avons pas le courage de nous adresser directement à la personne à qui nous reprochons quelque chose, si bien que nous la rabaissons. Le dramaturge Jules Feiffer dit que ceux qui s'y livrent commettent de petits meurtres : les potins sont une tentative d'assassinat attribuable à quelqu'un de lâche.

Nous vivons dans une culture obsédée par les potins – qui porte quoi, qui fréquente qui, qui fait l'objet du plus récent scandale sexuel. Que se passerait-il si nous déclarions que notre maison, nos relations et notre vie sont des zones sans potins ? Nous nous étonnerions probablement de tout le temps que nous récupérerions pour le consacrer à la tâche la plus importante de toutes :

bâtir nos rêves plutôt que de dénigrer ceux des autres. Nous remplirions notre maison d'un esprit empreint de vérité qui donnerait envie à nos visiteurs de se mettre à leur aise et de s'attarder un moment. Et nous nous rappellerions que, si les mots ont le pouvoir de détruire, ils ont aussi celui de guérir.

Il se pourrait que certaines personnes trouvent ironique que je n'aie jamais beaucoup regardé la télévision. Mises à part de vieilles reprises de l'émission *The Andy Griffith Show*, j'ai arrêté de regarder des comédies de situation le soir où Mary Tyler Moore Show a été retiré des ondes. Chez moi, j'évite d'écouter les actualités de fin de soirée parce que je refuse de prendre sur moi toute cette énergie négative juste avant de m'endormir. Et durant mes vacances, j'ai rarement une télévision dans ma chambre à coucher. Les jours où il m'arrive de faire du zappage, j'ai presque l'assurance de tomber sur au moins une émission impliquant de l'exploitation sexuelle ou de la violence faite aux femmes.

Lors de mes débuts en onde, j'ai fait preuve d'irresponsabilité, à mon propre insu, en pratiquant mon métier, et cela, au nom du «divertissement». Un jour, mon personnel et moi avons fait venir pour l'interviewer un mari qui s'était fait prendre dans un scandale sexuel. Là sur le plateau de tournage, devant des millions de téléspectateurs, sa femme a entendu dire pour la première fois que son partenaire lui avait été infidèle. C'est un moment que je n'ai jamais oublié, car l'humiliation et le désespoir que j'ai pu lire sur le visage de cette femme m'a rendue honteuse de l'avoir placée dans cette position. À l'instant même, j'ai pris la décision de ne jamais plus faire partie d'une émission qui rabaisserait, embarrasserait ou diminuerait un autre être humain.

Ce dont je suis certaine, c'est que nous devenons ce à quoi nous nous attardons – telles pensées, telle femme. Si, pendant des heures et des heures, nous assimilons des images et des messages n'exprimant pas notre magnificence, il n'y a rien d'étonnant à ce que nous nous sentions vidées de notre force de vivre. Si nous regardons des dizaines d'actes de brutalité chaque semaine, nous ne devrions pas nous étonner non plus que nos enfants considèrent la violence comme un moyen acceptable de régler un conflit.

Devenez le changement que vous désirez voir; voilà des paroles qui me dictent ma conduite. Au lieu de rabaisser, édifiez. Au lieu de démolir, rebâtissez. Au lieu de tromper, éclairez le chemin de manière à ce que nous puissions tous atteindre les hauteurs.

E *t me voilà assise* dans la classe d'algèbre de M. Hooper, en cinquième période, à redouter le test auquel nous sommes sur le point de nous soumettre, lorsqu'une voix retentissant à l'interphone nous demande de nous rendre dans l'auditorium afin d'y entendre un conférencier particulier. *Hourra! Sauvée par la cloche!* me dis-je, en croyant l'algèbre terminée pour la journée.

Ma fuite était la seule chose qui me venait à l'esprit tandis que mes compagnons de classe et moi entrions dans l'auditorium, à la queue leu leu. Je me suis installée sur mon siège en m'attendant à m'ennuyer à mourir durant encore une autre assemblée. Par contre, lorsque l'on a présenté le conférencier comme le révérend Jesse Jackson, un défenseur des droits civils qui s'était trouvé avec Martin Luther King le jour où celui-ci avait été assassiné, je me suis redressée sur mon siège. Ce que j'ignorais encore à ce moment-là, c'est que j'étais sur le point d'entendre le meilleur discours de toute ma vie.

C'était en 1969. Comme j'étais parmi les meilleurs élèves de ma classe, j'ai cru que j'avais déjà compris l'importance de faire de mon mieux. Ce jour-là, par contre, le révérend Jackson a allumé un feu en moi qui a transformé ma perception de la vie. Son discours portait sur les sacrifices personnels qui avaient été faits pour nous tous, peu importe la façon dont nos ancêtres étaient arrivés en Amérique. Il nous a parlé des gens qui nous avaient précédés, qui nous avaient pavé la voie afin que nous puissions fréquenter, comme c'était le cas, un lycée intégré de Nashville. Il nous a dit que nous nous devions à nous-mêmes de faire preuve d'excellence.

« L'excellence est le meilleur moyen de dissuasion qui existe contre le racisme, a-t-il déclaré. Alors, excellez. »

Je l'ai pris au mot. Ce soir-là, je suis rentrée à la maison, j'ai trouvé du papier de bricolage et je me suis fait une affiche sur laquelle on pouvait lire son défi. J'ai collé cette affiche à mon miroir, où elle est restée durant toutes mes années d'université. Au fil du temps, j'y ai ajouté mes propres maximes : « Si tu veux réussir, excelle. » « Si tu veux obtenir ce que le monde a de meilleur à t'offrir, offre au monde ce que tu as de meilleur. »

Ces paroles m'ont aidée à surmonter de nombreux obstacles, même lorsque je n'offrais manifestement pas ce que j'avais de meilleur. À ce jour, mon intention est de viser l'excellence. Exceller en générosité. Exceller en grâce. En efforts. Dans les combats et les conflits. Pour moi, exceller revient à toujours faire de mon mieux. Dans le livre de Don Miguel Ruiz intitulé *Les Quatre Accords toltèques*, le dernier accord revient précisément à cela, c'est-à-dire à toujours faire de son mieux. Ce dont je suis certaine, c'est qu'il s'agit du chemin le plus gratifiant vers la liberté personnelle. Votre mieux variera de jour en jour, Ruiz nous dit-il, selon votre état d'esprit. Peu importe. Faites de votre mieux en toute situation, de sorte que vous n'ayez aucune raison de vous juger et de vous imposer culpabilité et honte. Vivez de manière à ce qu'à la fin de chaque journée, vous puissiez dire : « J'ai vraiment fait de mon mieux. » Voilà ce que signifie exceller dans l'œuvre extraordinaire qui consiste à vivre la vie par excellence.

M on père m'a enseigné dès un jeune âge que l'endettement était une chose terrible. Sous notre toit, c'était presque un défaut de caractère, analogue à la paresse et à ce qu'il appelait « faire l'insignifiant ». Or, comme j'ai accumulé mille-huit-cents dollars de dettes au cours de l'année qui a suivi mon départ du nid, j'éprouvais un sentiment d'échec. Je ne l'ai jamais dit à mon père, pas plus que je n'aurais osé lui emprunter de l'argent.

Au lieu de cela, j'ai pris un prêt de consolidation à vingt-et-un pour cent d'intérêts, j'ai mangé beaucoup de céréales au son et aux raisins sec pour diner et je me suis acheté la voiture la moins chère que j'ai pu trouver – un seau sur quatre roues, comme je la décrivais, mais qui me permettait de me rendre au travail et d'en revenir. Je donnais dix pour cent de mon revenu en dime à l'Église et je ne m'achetais des vêtements qu'une fois par année.

J'ai remboursé les mille-huit-cents dollars et me suis juré de ne jamais plus vivre au-dessus de mes moyens. Je détestais ce que les dépenses inconsidérées me faisaient ressentir.

Mon père a fait des économies en vue de tout ce qui avait de l'importance – une machine à laver et un sèche-linge, un nouveau réfrigérateur. Lorsque j'ai quitté le nid de Nashville en 1976, il ne s'était toujours pas acheté de nouvelle télévision. Il disait que son « argent n'était pas assez ». Lorsque l'émission *The Oprah Winfrey Show* a été diffusée à l'échelle nationale, la première chose que je lui ai achetée a été une télévision couleur payée comptant.

Je n'ai jamais compris qu'une personne choisisse de vivre toute sa vie dans les dettes. Je n'oublierai jamais un certain couple qui a paru à mon émission pour parler de sa situation financière catastrophique. Il était marié depuis à peine neuf mois que déjà il croulait sous le poids d'une dépense gigantesque. Ces gens avaient payé à crédit la majeure partie de leur mariage ayant eu lieu sur une plage du Mexique, en offrant la chambre d'hôtel et des services d'hydrothérapie à certains de leurs invités, des homards et des filets mignons au diner de noces et un bar gratuit. Au-delà de cet évènement béni, des factures de cartes de crédit s'élevant presque à cinquante-mille dollars les attendaient. Et cette somme n'incluait pas les neuf-mille dollars que le mari avait empruntés sur son régime d'épargne retraite pour acheter la bague de fiançailles. La poursuite d'un conte de fées d'un weekend les avait conduits à un cauchemar qui allait durer des années.

Ce dont je suis certaine : Si vous vous définissez selon les choses que vous acquérez plutôt que de déterminer de quoi vous avez réellement besoin pour être heureux et satisfait, vous ne faites pas que vivre au-dessus de vos moyens ou vous en demander trop. Vous vivez un mensonge.

Voilà pourquoi le fait de crouler sous les factures procure un sentiment aussi épouvantable.

Vous n'êtes pas fidèle envers vous-même. En vous libérant des dettes, vous vous accordez la liberté de faire des achats réfléchis – pour ajouter à votre vie des choses qui ont un sens.

J'y réfléchis encore à deux fois avant d'acheter quoi que ce soit. Est-ce que ça ira avec un vêtement que je possède déjà ? N'est-ce qu'un engouement passager ? Cela me sera-t-il réellement utile ou n'est-ce qu'une belle chose à posséder ? Je me rappelle encore la fois où, il y a des années, je me trouvais chez un antiquaire qui m'avait montré une coiffeuse du dix-huitième siècle absolument magnifique munie de miroirs et de tiroirs cachés. Son vernis était si luisant que le merisier semblait vibrer. Toutefois, pendant que je me demandais si je devais l'acheter, j'ai dit à l'antiquaire : « Vous avez raison – elle est superbe et je n'en ai jamais vu de pareille, mais je n'ai pas vraiment besoin d'une coiffeuse ayant tout ce tralala. » Après avoir inspiré d'un air prétentieux, il m'a répondu : « Madame, personne n'achète ici quoi que ce soit en fonction de ses besoins, ce sont là des trésors dont on savoure la beauté. » En effet. *Eh bien, je vais donc maintenant aller à la boutique des « nécessités »*, me suis-je dit, *puisque ce que je cherche réellement, ce sont des accessoires de foyer.* Non seulement n'avais-je aucun besoin d'une coiffeuse, mais encore je n'avais pas l'espace qu'elle requérait.

Pour être juste, je dois tout de même avouer que M. Antiquaire avait raison sur un point : certaines choses ne servent qu'à être chéries et savourées des yeux.

Reste que ce dont je suis certaine, c'est que la modération a bien meilleur gout. Voici comment savoir si vous avez fait des achats intelligents : vous rapportez un achat à la maison, vous n'en éprouvez pas un seul soupçon de remords et ce que vous vous êtes procuré vous plait encore davantage dix jours après son achat.

En 1988, j'étais chez Tiffany à essayer de choisir entre deux motifs de porcelaine. J'allais sans cesse d'un à l'autre, si bien que ma compagne de courses m'a dit : « Pourquoi n'achètes-tu pas les deux ? Tu peux te le permettre. » Je me rappelle encore m'être dit : *Oh ! mon Dieu... je le peux. Je le peux. Je peux m'acheter les deux !* Je me suis mise alors à sautiller sur place dans la boutique comme si je venais de gagner à la loterie.

Depuis ce jour, j'ai dû affronter de nombreuses tentations d'acheter, mais comme je sais qu'il est nécessaire d'être réfléchi dans tout ce que l'on fait, je m'efforce de garder les pieds sur terre. Un autre pulloveur jaune me fera me sentir… quoi ? Si la réponse est « rien », je le remettrai à sa place ou je l'achèterai pour une personne dont il est susceptible d'illuminer la journée (pour Gayle, par exemple, qui aime le jaune comme certaines personnes aiment le chocolat).

J'espère que votre façon de dépenser votre argent est conforme à votre personnalité et à ce qui compte à vos yeux. J'espère que votre argent vous procure de la joie ainsi qu'à ceux que vous aimez. Et j'espère que vous l'utilisez comme une force puissante pour faire le bien en réalisant vos meilleures intentions.

Lorsque j'étais dans la vingtaine, j'ai assisté à un petit déjeuner de prière à Washington, D.C., parrainé par le National Black Caucus of State Legislators (Comité national noir des législateurs d'État). J'ai eu la chance d'y entendre un prédicateur de Cleveland des plus éloquents : le révérend Otis Moss fils, un homme qui est devenu par la suite un de mes mentors et amis.

Ce jour-là, le révérend Moss a raconté une histoire qui m'est restée jusqu'à aujourd'hui. Son père, un métayer pauvre, avait travaillé toute sa vie pour élever sa famille et en prendre soin, en subissant les mêmes humiliations et affronts que les générations antérieures avaient subis pendant longtemps. Dans la cinquantaine, toutefois, il avait fini par avoir la chance de faire ce que ces générations n'avaient jamais pu faire : voter lors d'élections. Le jour des élections, il s'était levé avant l'aube, il avait mis son plus beau costume, celui qu'il portait lors des mariages et des funérailles, et il s'était préparé à se rendre à pied jusqu'au bureau de scrutin pour y voter contre un gouverneur raciste de la Géorgie au profit d'un modéré. Il avait marché près de dix kilomètres pour s'y rendre ; une fois arrivé, il s'était fait dire qu'il se trouvait au mauvais endroit et on l'avait envoyé ailleurs. Il avait donc marché entre huit et dix kilomètres de plus et s'était fait accueillir par le même refus avant de se faire rediriger vers un troisième bureau de scrutin. Lorsqu'il s'était présenté au troisième endroit, on lui avait dit : « Mon gars, tu arrives un peu tard, le bureau vient de fermer. » Après avoir marché toute la journée, parcourant presque vingt-neuf kilomètres, il était rentré chez lui épuisé et sans avoir eu la joie de voter.

Otis Moss père avait raconté cette histoire à qui voulait bien l'entendre, et avait vécu en anticipant grandement la chance qu'il aurait de voter la fois d'ensuite. Il est toutefois mort avant les élections suivantes. Il n'a jamais eu la chance de choisir. Alors, moi, je le fais. Et chaque fois que je vote, je choisis non seulement pour moi-même, mais aussi pour Otis Moss père et pour les innombrables autres qui l'auraient voulu, mais qui ne l'ont pas pu. Je vote pour toutes les personnes qui m'ont précédée et qui ont donné de leur énergie vitale afin que votre vie et la mienne soient aujourd'hui une force dont tenir compte.

Prenant la parole lors du Women's Rights Convention (Congrès portant sur les droits de la femme) qui s'est tenu à Akron en 1851, Sojourner Truth a dit : « Si la première femme que Dieu a créée s'est avérée assez forte pour mettre le monde à l'envers à elle seule, les femmes ici-même devraient être capables ensemble de le remettre à l'endroit ! » Nous verrions des changements étonnants se produire si les femmes votaient en masse.

Les dernières statistiques relatives aux habitudes de vote aux États-Unis sont gênantes et irrespectueuses envers notre patrimoine féminin – envers toutes les femmes dont la voix n'a jamais été entendue, mais qui ont espéré qu'un jour leurs filles se feraient peut-être entendre. En 2008, environ les deux tiers seulement des Américaines ayant droit de vote se sont donné la peine d'aller l'exercer. Et rappelez-vous que le résultat des élections présidentielles de 2000 n'a tenu qu'à une majorité d'à peine cinq-cent-trente-sept votes. Ce dont je suis certaine, c'est que nous devons nous respecter suffisamment, ainsi que nos aïeules, pour être comptées.

D ans notre pays, nous consacrons quatre-vingt-quinze pour cent de notre budget de la santé au traitement des maladies, et moins de cinq pour cent au maintien de la santé et à la prévention. Quelle ineptie ! Ce paradigme doit changer. Et le changement commence par la façon dont nous choisissons de nous percevoir nous-mêmes : comme des pourvoyeurs de santé ou des fournisseurs de maladie.

Le mieux en matière de santé consiste à fonctionner à plein régime – physiquement, émotionnellement et spirituellement. C'est d'être alerte, de se sentir vivant et branché. Et si vous considérez votre vie comme un cercle et toutes ses dimensions (famille, finances, relations et travail, entre autres) comme des sections de ce cercle, vous verrez que, si une dimension fonctionne mal, celle-ci affectera le tout.

De nombreuses fois dans ma vie, j'ai accordé beaucoup trop d'importance au travail et j'ai été loin d'en accorder assez à la nécessité de bien prendre soin de moi-même. Il y a un monde de différence entre prendre soin de sa personnalité (son égo) et prendre soin de sa véritable personne. Or, faire cette distinction pourrait nous éviter de gaspiller beaucoup de temps. J'en suis certaine.

Pour vivre la vie que vous êtes censée mener, vous devez être sensible à votre esprit et à votre corps. Lorsque les deux collaborent entièrement, ils vous permettent d'exploiter sur la terre votre potentiel au maximum.

Voici la décision à prendre : chercher à réaliser ce que vous êtes appelée à accomplir ici-bas, sans vous contenter d'errer au fil des jours. L'espérance de vie moyenne d'une Américaine est de quatre-vingts ans. Il s'agit cependant d'une prédiction, et non d'une promesse. Ce que vous faites aujourd'hui, c'est ce qui créera votre lendemain.

Pour vous approprier la vie abondante qui vous attend, vous devez être disposée à faire le vrai travail. Pas votre emploi. Pas votre profil professionnel. Plutôt l'écoute de votre esprit, qui vous murmure ses désirs les plus chers à votre égard. Pour l'entendre, vous devez parfois faire silence en vous-même. Et vérifier fréquemment s'il vous parle. Vous devez nourrir votre esprit de pensées et d'idées qui vous ouvriront à de nouvelles possibilités. (Si vous cessez d'apprendre, vous cesserez de grandir, et par conséquent vous direz inconsciemment à l'univers que vous avez déjà tout accompli – qu'il ne vous reste rien de nouveau à faire. Alors, pourquoi êtes-vous là ?)

Vous ne pouvez prétendre que votre corps fonctionnera à tout jamais, peu importe la façon dont vous le traitez. Votre corps désire bouger; il veut être bien nourri. Si vous ne faites que courir ici et là comme si vous aviez un marathon à remporter, vous devez ralentir la cadence et prévoir des moments de repos. À dire vrai, vous l'avez déjà remporté. Après tout, vous êtes encore là à jouir d'une autre chance de bien faire les choses, de mieux les faire et d'exceller encore plus – à compter de maintenant.

À mon émission, il y a plusieurs années, une jeune mère a exprimé la contrariété que lui procurait le refus de son fils d'aller se coucher. Il avait trois ans, et c'était lui le maitre de la maison. Il voulait dormir dans le lit de sa mère; il n'était pas même question pour lui de s'allonger dans son propre lit. Et plus la mère insistait, plus l'enfant se braquait; il pleurait et hurlait à tue-tête, jusqu'à ce qu'il finisse par s'endormir d'épuisement.

Nous avons montré un enregistrement sur lequel on pouvait voir les deux se livrer bataille à ce sujet. Lorsque notre spécialiste, le Dr Stanley Turecki, a eu terminé de le regarder, il a prononcé une parole qui m'a donné la chair de poule : « Rien ne se produit tant que vous ne le décidez pas. » Si ce garçonnet de trois ans ne dormait pas dans son propre lit, c'était parce que sa mère n'avait pas décidé que la chose se ferait. Dès qu'elle en prendrait la décision, l'enfant irait dormir dans son lit. Il pleurerait, hurlerait et vocifèrerait peut-être jusqu'au temps de s'endormir, mais il finirait par comprendre que sa mère ne changerait pas d'avis.

Je savais bien que le Dr Turecki parlait dans ce cas-ci d'un enfant de trois ans, mais j'étais également certaine que ce conseil génial s'appliquait à de nombreuses autres sphères de la vie. Aux relations. Aux décisions professionnelles. Aux problèmes de poids. Tout dépend de nos décisions.

Quand vous ne savez pas quoi faire, le meilleur conseil que je puisse vous donner est de ne rien faire tant que votre idée sur la situation ne se sera pas précisée. Le fait de s'arrêter et de parvenir à entendre sa propre voix au lieu de la voix du monde a pour effet d'accélérer la clarification de sa pensée. Une fois que vous avez déterminé ce que vous voulez faire, engagez-vous à mettre en œuvre votre décision.

Voici l'une de mes citations préférées, de l'alpiniste W. H. Murray :

Tant qu'une personne ne s'est pas engagée, elle hésite, elle a toujours la possibilité de revenir sur sa décision et elle demeure inefficace. Tout acte d'initiative (et de création) renferme une vérité élémentaire, dont l'ignorance tue d'innombrables idées et projets formidables : dès l'instant qu'une personne s'engage résolument, la Providence passe à l'action elle aussi. Toutes sortes de choses se produisent, qui ne se seraient jamais concrétisées autrement, pour venir en aide à cette personne. Toute une suite d'évènements découle de la décision prise, qui dispose en sa faveur toutes sortes de rencontres, d'aide matérielle et d'incidents imprévus qu'aucun homme n'aurait pu rêver de se voir offrir. J'ai acquis un profond respect pour l'un des distiques de Goethe : « Tout ce que tu peux faire ou rêves de faire, commence-le. L'audace procure du génie, du pouvoir et de la magie. »

Prenez une décision, et votre vie ira de l'avant.

J*e ne cesse d'être fascinée* par les listes des « Gens les plus puissants » et par la façon dont on utilise les choses extérieures – la célébrité, le prestige, la richesse – pour définir le pouvoir et y associer un rang. Il est étrange de constater qu'une personne vient en tête de liste une année et en disparait complètement l'année suivante – tout cela au cours de la simple réunion d'un conseil d'administration. Le pouvoir de cette personne était-il réel ou ce pouvoir résidait-il uniquement dans le poste qu'elle occupait ? Il nous arrive souvent de confondre les deux.

Lorsque je réfléchis à ce qu'est le pouvoir authentique, je pense à celui qui se manifeste lorsque la raison d'être d'une personne s'aligne sur sa personnalité pour servir le bien commun. Selon moi, le seul véritable pouvoir est celui qui provient de l'essence même de la personne que l'on est et qui reflète tout ce que l'on est censé être. Lorsque l'on voit ce genre de pouvoir irradier d'une personne dans toute sa vérité et toute sa certitude, il s'avère irrésistible, inspirant et revalorisant.

Le secret réside dans l'alignement, c'est-à-dire le fait d'avoir la certitude d'être dans la bonne voie et en train de faire exactement ce que l'on est censé faire, à savoir concrétiser l'intention de son âme, le désir de son cœur. Lorsque sa vie est alignée sur sa destinée, c'est alors que l'on est le plus puissant. Et même si l'on trébuchait, on ne tomberait pas.

J*e me suis rendue en Louisiane* cinq jours après le passage de Katrina pour constater de mes propres yeux les ravages que cet ouragan y avait faits. Maya Angelou en a décrit la scène avec une profondeur extraordinaire : « La terre est devenue eau, et l'eau s'est prise pour Dieu. »

J'ai passé tout au plus dix minutes dans le Superdome de la Nouvelle-Orléans, où des milliers de familles avaient attendu pendant cinq jours pour obtenir des secours. Pendant plusieurs jours, par la suite, j'ai cru pouvoir encore sentir l'urine et les excréments, mêlés à l'odeur nauséabonde de la chair en putréfaction.

J'ai dit en ondes : « Je crois que nous devons tous – dans ce pays – des excuses à ces familles. »

Le lendemain, Gayle King, qui, en plus d'être ma meilleure amie, est également la directrice éditoriale de la revue *O*, a reçu l'appel téléphonique d'une lectrice furieuse lui annonçant qu'elle annulait son abonnement pour la raison suivante : « Oprah est cullottée de venir nous dire que le gouvernement doit s'excuser auprès de ces gens-là. »

Ce dont je suis certaine, c'est que chaque catastrophe dissimule de grandes leçons à apprendre. Une des plus importantes : tant que nous jouons au jeu « nous et eux », il nous est impossible d'évoluer en tant que personnes, nation et planète. Katrina nous a procuré l'occasion d'ouvrir notre cœur aux autres et d'user de compassion.

Au fil des ans, j'ai entendu beaucoup de gens se plaindre que Dieu permettait ceci ou cela. Une autre leçon : nous ne souffrons pas à cause de ce que Dieu fait, mais de ce que nous faisons et ne faisons pas.

Tant de choses qui se sont produites à la suite de Katrina sont le fait des êtres humains. Et comme nous avons tous pu le constater, les blâmes ont abondé. Reste que cette tempête nous a procuré également la chance de voir qu'en période de désespoir, de peur et d'impuissance, chacun d'entre nous a la possibilité d'être un arc-en-ciel d'espoir, en faisant son possible pour user de bonté et de grâce envers autrui. Parce qu'il y a une chose dont je suis certaine : il n'y a pas d'*eux* – il n'y a que des *nous*.

En *janvier 2009*, j'ai paru deux fois sur la couverture de la revue *O* : deux versions de moi-même debout côte à côte, l'avant et l'après. Sur une image, l'avant, j'étais en forme. Sur celle de l'après, je souffrais d'embonpoint. J'avais assez d'assurance pour publier ces photos de moi-même parce que je savais ne pas être seule dans cette situation. On estime que soixante-six pour cent des Américains adultes souffrent d'embonpoint ou d'obésité. Et presque personne ne s'en réjouit.

Cette couverture a suscité une vague d'émotion et de soutien. Voici le courriel, parmi les plus mémorables, que j'ai reçu ensuite d'une amie : « Ton poids, je le perçois comme ton détecteur de fumée. Et nous réduisons tous en cendres la meilleure partie de notre vie. »

Je n'avais jamais envisagé les choses sous cet angle auparavant, mais ce courriel a marqué un moment eurêka pour moi. Mon poids était un avertisseur, un feu clignotant claironnant l'éloignement de mon centre.

Ce dont je suis maintenant certaine, c'est que dans mon cas le poids est un problème d'ordre spirituel, et non alimentaire. Marianne Williamson a touché une corde sensible en m'envoyant ce courriel : « Ton poids est véritablement une invitation à embrasser la vie par excellence pour toi. »

Durant toutes ces années passées à suivre des régimes voués à l'échec, j'ai cru que l'obstacle à surmonter, c'était mon poids. Je me disais que j'avais un « problème » de poids, au lieu d'examiner mon existence déséquilibrée et mon utilisation de la nourriture pour réprimer les faits.

J'ai été coauteur d'un livre avec Bob Greene intitulé *Make the Connection* (Faites le lien). L'idée du titre était de lui. Même pendant que j'écrivais ma partie, qui impliquait que je partage les entrées rageuses de mon journal intime qui concernaient mon embonpoint (je pesais cent-huit kilos lorsque Bob et moi avons fait connaissance), je lui disais souvent : « Rappelle-moi encore, c'est quoi le lien ? »

J'ai appris auprès de Bob que mon embonpoint n'avait rien à voir avec les chips, que je devais éplucher ma dépendance à la nourriture et découvrir ce qui me dévorait. De toute évidence, je ne l'avais pas épluchée suffisamment.

Je sais toutefois maintenant que le lien consiste à s'aimer, à s'honorer et à tout protéger en soi-même. Bob m'a souvent dit : « En définitive, ton poids est lié à ta dépréciation de toi-même. » Pendant des années, je me suis opposée à son point de vue, en lui répliquant : « Écoute, Bob Greene, je ne suis pas de ceux qui croient ne pas mériter ce qu'ils ont. J'ai travaillé dur pour tout ce que je possède. »

Par contre, tandis que je progresse sur le chemin spirituel menant à la résolution et à la gestion permanente de mon problème de poids, je vois maintenant que la dépréciation de soi-même peut revêtir de nombreuses formes.

Je suis une personne très performante depuis l'âge de trois ans. Pendant de longues années, j'ai ressenti le besoin de prouver que j'avais ma place ici-bas – le besoin de prouver ma valeur. J'ai travaillé d'arrachepied. J'ai obtenu d'excellentes notes à l'école.

J'ai remporté des concours d'art oratoire, j'ai gagné des bourses. J'étais au milieu de la trentaine lorsque j'ai compris que le simple fait d'être née conférait assez de dignité à n'importe quelle personne pour justifier sa présence sur la terre. Je n'avais donc rien à prouver.

Dans le cas de la plupart d'entre nous qui mangeons avec excès, les kilos en trop trahissent des angoisses, des frustrations et des dépressions non résolues, qui sont toutes attribuables en définitive à une peur que nous n'avons pas encore surmontée. Nous étouffons la peur avec la nourriture au lieu de la ressentir et d'en triompher. Nous la réprimons totalement en lui faisant des offrandes provenant du réfrigérateur.

Si vous parvenez à conquérir votre peur, vous prendrez votre envol. Je « suis certaine » de cela également.

Laissez votre vie s'éveiller en vous. Quel que soit votre défi – la tendance à trop manger, à trop consommer une certaine substance ou à trop faire d'une même activité, ou encore le deuil d'une relation, d'une somme d'argent ou d'un poste –, permettez-lui de vous ouvrir la porte sur les révélations les plus nobles à votre sujet, de vous inviter à entrer dans la vie par excellence pour vous.

J'*aime énormément regarder* le soleil se coucher sur Maui, en transformant le ciel. La nature a plus de facilité à composer avec la transformation que nous en avons, nous les êtres humains.

L'évolution d'une personne constitue le processus d'excavation de toute une vie – creuser en profondeur afin de découvrir ses problèmes sous-jacents. On a parfois l'impression de pelleter le Kilimandjaro au grand complet. On ne cesse de tomber sur du roc.

Voici toutefois ce que j'ai compris : les pierres que l'on néglige se changent en monticules, puis en montagnes. Et il nous revient de faire du ménage chaque jour – dans notre travail, notre famille, nos relations, nos finances et notre santé.

Il est plus facile de faire fi des problèmes, cela va de soi, mais si nous faisons ne serait-ce que de petits pas pour les régler, ces pas finiront par devenir des bonds de géant durant notre voyage vers l'actualisation de nous-mêmes.

L'optimisation de notre potentiel ne se résume pas à une idée. Elle constitue le but ultime à atteindre. Les choses merveilleuses dont nous sommes capables n'ont rien à voir avec la façon dont les autres nous mesurent, les listes de ce qui est à la mode et de ce qui ne l'est pas, de ceux qui sont populaires et de ceux qui ne le sont pas. Je parle ici des vraies choses : De qui avez-vous touché la vie ? Qui avez-vous aimé, et qui vous a aimé en retour ?

Voilà ce qui compte, j'en suis certaine. À mon avis, il s'agit du seul objectif qui mérite d'être poursuivi : une transformation de la conscience qui me permet de savoir que je ne suis ni mieux ni pire que n'importe quel autre être humain. Le fait de savoir que je suis, tout simplement.

En troisième année du primaire, j'ai appris la règle d'or : Fais pour les autres ce que tu aimerais qu'ils fassent pour toi. Ces paroles me plaisaient énormément. Je les écrivais partout et je les avais toujours dans mon sac d'école.

J'aimais faire de bonnes actions. À une certaine époque, j'ai même cru que je deviendrais missionnaire. Tous les dimanches, j'allais à l'église, je m'assoyais dans le deuxième banc de droite, je sortais un carnet et j'y écrivais tout ce que le pasteur disait. À l'école, le lendemain, je récitais le sermon dans la cour de récréation. Je les appelais mes méditations du lundi matin. En me voyant approcher, les autres enfants de huit ans disaient : « Voilà la prédicatrice qui arrive. » En ce temps-là, lorsque la Progressive Missionary Baptist Church s'efforçait de recueillir des fonds pour les enfants pauvres du Costa Rica, j'ai mis sur pied une campagne de financement. J'allais amasser plus d'argent que quiconque. J'ai renoncé à mon argent du déjeuner et j'ai convaincu mes compagnons de classe d'en faire autant. Tout cela s'inscrivait dans le principe du « Fais pour les autres » selon lequel je menais ma vie.

Et puis, rendue en cinquième année, je me suis heurtée à des problèmes. Il y avait une fille dans ma classe qui ne m'aimait pas, alors j'ai fait le tour de l'école pour parler en mal d'elle. Une de mes amies m'a alors fait remarquer que, si je croyais en la nécessité de faire pour les autres ce que j'aimerais qu'ils fassent pour moi et qu'en même temps je parlais contre cette fille, cette dernière risquait de parler aussi en mal de moi. « Je m'en moque, lui ai-je répliqué, parce que je ne l'aime pas, de toute façon. »

Pendant longtemps, chaque fois que je disais ou faisais quelque chose qui allait à l'encontre de ce que j'avais de meilleur en moi, j'essayais de justifier ma conduite à mes propres yeux. Ce qui m'échappait, c'est que toutes nos actions, tant bonnes que mauvaises, nous reviennent un jour. J'ai néanmoins fini par apprendre que l'on reçoit du monde ce que l'on donne au monde. Je dois cette compréhension à la troisième loi de Newton : Pour chaque action, il existe une réaction égale et opposée. Cette loi est l'essence même de ce que les philosophes orientaux appellent le karma. Dans le film *La Couleur pourpre*, le personnage de Celie l'explique ainsi à Monsieur : « Tout ce que t'essaies de me faire, c'est déjà fait à toi. »

Vos actions tournent autour de vous aussi surement que la Terre tourne autour du Soleil.

Voilà pourquoi, lorsque les gens disent rechercher le bonheur, je leur demande : « Que donnez-vous au monde ? » Cela me fait penser à la femme qui a paru un jour à mon émission en se demandant pourquoi sa relation avec son mari s'était soldée par un échec. Elle n'arrêtait pas de dire : « Il me rendait tellement heureuse avant. Mais ce n'est plus le cas, maintenant. » Ce qu'elle ne parvenait pas à voir, c'est qu'elle était elle-même la cause de son propre effet. Le bonheur ne nous vient jamais d'autres personnes. Le bonheur que nous éprouvons est directement proportionnel à l'amour que nous sommes capables de donner.

Si vous croyez qu'il manque quelque chose à votre vie ou que vous n'obtenez pas ce que vous méritez, rappelez-vous qu'il n'existe aucune route de briques jaunes, comme dans le *Magicien d'Oz*. Vous menez votre vie ; ce n'est pas elle qui vous mène.

Voyez ce qui entrera dans votre vie lorsque vous passerez plus de temps avec vos enfants. Renoncez à votre colère contre votre patron ou votre collègue pour voir ce que vous obtiendrez en retour. Usez d'amour envers vous-même et les autres, et voyez cet amour vous être rendu. Cette règle fonctionne à coup sûr, que vous en soyez conscient ou non. Elle agit dans les petites choses, dans les grandes et dans les plus importantes.

Aujourd'hui, j'essaie de bien agir envers toutes les personnes que je rencontre et d'être bien en leur compagnie. Je veille à employer ma vie à faire le bien ; car ce dont je suis certaine, c'est que tout – ce que je pense, ce que je dis et ce que je fais – me sera rendu. Et il en va de même pour vous.

Table des matières